5번의 죽음

6번의 목숨

발 행 | 2024년 08월 02일
저 자 | 신현
펴낸이 | 한건희
펴낸곳 | 주식회사 부크크
출판사등록 | 2014.07.15.(제2014-16호)
주 소 | 서울특별시 금천구 가산디지털1로 119 SK트윈타워 A동 305호
전 화 | 1670-8316
이메일 | info@bookk.co.kr

ISBN | 979-11-410-9903-9

www.bookk.co.kr

5번의 죽음 6번의 목숨

신현 지음

목차

제1화 3번째 목숨

봄 내음을 맡으며 걸어가는 등굣길. 양옆으론 나뭇잎이 바람에 흔들리고, 늘 보이는 아파트와 아이들까지. 너무나도 익숙한 풍경이다.

그렇게 생각하기도 잠시, 시야가 어두워진다. 익숙한 일이다. 그저 기억과 함께 정신을 잃었을 뿐이다. 예전과는 상반되는 모습이다. 어렸을 때의 나는 생각도 깊고, 기억력이 매우 좋았다고 한다.

하지만 아버지가 무참히 살해당한 그날, 옆에서 지켜볼 수밖에 없었던 어린 나는 굉장한 충격을 받아 아버지가 돌아가신 날부터 가끔 정신을 잃고 기억이 뜨문뜨문 나기 시작했다.

아…. 얼마나 지났는지 알 수 없지만, 그렇게 상념은 멀어지고 정신이 돌아오기 시작한다.

서서히 빛이 보인다. 이때 정신을 잘 차려야 한다. 꿈 같은 이상한 기억이랑 혼동될 수 있으니, 정신이 들고 내가 가장 먼저 하는 일은 메모장을 확인하는 것이다. 바로 오른쪽 주머니에서 내 손바닥 정도 크기의 메모장을 꺼내어 펼쳐본다.

"이제 시작이야. 재밌겠네."

도대체 뭐지? 내 예상과는 전혀 다른 메모가 적혀있다.

'이런 글을 내가 썼다고?'

메모장을 넘겨 이전 메모를 확인한다.

"하교 후에 할 일들⋯."

내용과 글씨체에서 확연한 차이가 난다. 누군가 장난쳤겠거니 넘어가고 싶지만, 무언가 중요한 걸 놓친 기분이 든다.

그때 소름 끼치는 기분이 들어 뒤를 돌아보니 누군가 다가온다. 누구인지 알아채자마자 나의 긴장은 자연스레 풀린다. 이여은이다.

어릴 때부터 가족 단위로 친해 항상 같이 붙어 다니던 소꿉친구이지만 이제는 바라만 봐도 행복해지는 조금 다른 관계라고 할 수 있다. 기분 좋은 미소를 지으며, 그녀를 바라본다.

다시금 우리 관계를 설명하자면, 바람에 날리는 오닉스 같은 고급스러운 검은색 긴 반묶음 머리를 하고, 갈색 다이아몬드처럼 반짝이는 눈동자를 지닌 그녀는 나의 사랑스러운 여자 친구이다. 절대로 절대로 여은이가 강제로 주입한 평가가 아니다.

"야! 정 없게! 같이 가지, 왜 혼자만 가!"

무서운 표정을 짓지만 귀엽게만 보이는 나의 여자 친구가 삐지기 전에 말해줘야겠다.

"미안해, 깜박했어. 너도 알잖아. 가끔 나 그러는 거."

"앗⋯. 그런 거면 말을 하지⋯. 미안해"

"네가 말할 틈도 안 줬거든~"

"몰라 바보야."

다행히도 서로 머쓱하지 않게 잘 넘어간 것 같다. 우리는 같이 천천히 걸어간다. 어느새 도착한 고등학교의 정문치고는, 매우 큰 입구를 지나, 새파란 잔디가 깔린 운동장을 넘어서, 학교보다는 신전이나 호텔에 어울릴듯한 기둥으로 세워진 구조물이 있는 본관 입구에서 선생님들과 인사하며 학교에 들어간다.

중앙 계단을 오르고 3층에 도착하여, 복도를 지나 우리는 같은 반으로 종소리와 함께 딱 맞추어 들어간다.

뒤이어 선생님이 들어오고, 1교시가 시작된다. 이후 몇몇 수업들이 지나갔지만, 난 공부보다는 운동 체질이라 귀에 잘 들어오진 않았다. 지루함이 늘어져, 초침을 세는 일조차 지칠 때쯤, 점심시간이 나가왔다.

이미 앞선 쉬는 시간마다 질릴 정도로 안겨 왔던 여은이를 이번에는 내가 먼저 다가가 안아준다. 내 품속에 안겨 얼굴을 비비는 그녀, 품 안에 딱 맞는다. 어떻게 사람이 이렇게 귀엽고 이쁠 수 있는지 모르겠다. 그녀도 내가 먼저 안아주니 무척이나 마음에 들어 하는 느낌이다. 그녀가 날 부른다.

"여기로 잠깐만 와봐!"

그래서 따라갔더니 허리를 숙이라는 듯, 내 어깨를 잡고 누른다. 본인 체육복으로 위에서 우리를 덮어, 사람들에게 안 보이게 한다. '비밀 얘기할 거라도 있나?'라고 생각하는 순간.

쪽.

무슨 일이 일어난 거지? 다시금 되새겨본다. 그녀의 벚꽃 같은 연한 분홍색의 촉촉한 입술이, 내 입에 닿았다. 그걸 깨닫고서는 내 입술을 살짝 만지며, 그녀를 바라본다. 그녀의 눈도 나를 바라보고 있었고, 볼은 분홍색으로 물들어 있었다. 나의 볼도 그녀와 같을까? 모르겠다. 순간 사고가 정지된다. 빨라진 심장과 함께 오늘 있었던 모든 일이 새하얗게 변한다.

어떻게 이렇게 사랑스러운 존재가 있을 수 있지? 본능적으로 다시 한번 그녀의 입술에 내 입술을 맞춘다. 쪽. 한번으론 모자란다. 쪽. 쪽. 쪽. 이번엔 들렸나 보다. "우우우우." 밖에서 눈꼴 시려하는 친구들의 원망이 들려온다.

친구들이 그러니 아기 다람쥐 같은 그녀는 체육복을 걷어내고, 부끄럽고 원망한다는 눈빛으로 나를 쳐다본다. 그러고는 고개를 푹 숙인다. 야유하는 친구들을 뒤로하며, 점심을 먹으러 간다. 오늘은 우리 둘이 먹어야겠다. 그러고 싶은 기분이다.

아직도 부끄러워하는 그녀와 팔짱을 끼고 급식실로 내려간다. 줄을 서고, 급식 판과 수저를 챙기며 음식들을 받는다. 적당히 외곽진 자리에 가서 앉으려 한다. 평소에는 여은이 옆에 앉아서 먹었지만, 오늘따라 귀여운 그녀의 얼굴을 더욱 보고 싶다.

그래서 앞에 앉아 그녀를 지긋이 바라보니, 그녀는 당황한 얼굴을 하며, 아무렇지 않은 척을 한다. 본인의 볼이 아직 분홍색인 건 알고 있으려나? 밥보다는 그녀에게 집중하며, 마무리하고 급식실을 나선다.

밥을 먹는 동안 적응이 됐는지 다시 돌아온 그녀. 살짝 뾰로통한 거 같지만 그마저도 사랑스럽다. 다시 우리가 내려왔던 길을 지나, 이번엔 서문으로 빠르게 계단을 올라 반에 노착했다. 반에 돌아오니 완전히 풀렸나 보다.

그녀가 평소처럼 어깨동무를 하며, 내 목에 팔을 감는다. 난 잘 모르겠으나, 본인 말로는 자기 것이라는 기분이 확실히 더 든다고 한다. 더욱더 그녀에게 귀여움을 느끼며 바라보는데, 그녀가 갑자기 신난 표정을 지으며 말한다.

"오늘 학교 끝나고 놀이공원에서 교복 데이트 하기로 한 거 잊지 않았지!?"

당연히 잊을 리가 없다. 그 때문에 하교 시간을 기다리고 있으니.

"당연하지. 오늘 밤늦게까지 놀 거니까."

"그래서 그런데, 나 이번 시간만 쉬어도 될까?"

"치⋯. 알았어. 대신 이따가는 엄청 많이 놀아줘야 한다!"

"알았어. 걱정하지 마."

그제야 목에 감긴 팔을 풀어준다. 자리로 돌아가서 엎드려야지⋯. 그렇게 엎드려서 눈을 서서히 감는다. 눈을 감았는데, 점심치고는 생각보다 너무 어두워진다.

아⋯. 또, 다시 시작이다. 짜증이 날 정도로 지겨운 경험이 다시 찾아온다. 우선 호흡을 가다듬는다. 실제로 호흡이 진정되는진 모르지만 내가 할 수 있는 최선이다.

서서히 빛이 들어온다. 끊겼던 정신이 다시 든다. 아직 의식이 자리 잡지 않아 멍한 상태로 메모장을 펼쳐본다.

"잘 다녀와. 저 글씨를 믿지 마. 가지 마."

또 알 수 없는 이야기와 명확히 다른, 앞의 글씨체…. 누군가 또 장난을 친 것인가? 이 메모장에 대해 아는 사람은 나와 여은 이밖에 없다. 여은이는 이것에 대해 진지하고 민감하게 생각을 해주어, 이런 장난을 칠 사람이 아니다.

분명 누군가 이 메모장을 더 알고 있다. 심장이 매우 빨리 뛰고, 온몸에 소름이 돋으며, 식은땀이 흐른다. 온갖 생각이 든다. 눈앞이 깜깜해지고 심장이 터질 것 같은 그때, 또다시 여은이가 나를 깨운다. 눈이 떠지고, 주변을 살펴보니 어느샌가 놀이공원 입구에 와있었다.

"뭐야~ 기껏 놀러 왔는데 딴생각하기야?"

내가 얼마나 오래 멈춰있던 거지? 모르겠다. 지금은 다른 생각 할 겨를이 없다. 불길한 메모장에 관해 물어봐야겠다.

"여은아, 그것보다 혹시 네가…"

말을 잇기도 전에 귀여운 토끼 귀 장식을 한 여은이가, 팔짱을 끼고 나를 이끌어간다. 듣지 못한 듯, 해맑게 웃으며 앞장서는 그녀. 그녀에게 다시금 물어보려는 찰나, 왜인지 물어보면 안 된 다는 느낌이 든다.

다시 천천히 생각해 보자. 만약 내가 오래 멈춰있었다면, 보통은 그 병 때문에 걱정을 하지, 내가 딴생각하고 있었다고 얘기를 하나? 얼마나 멈춰있었는지를 여은이에게 물어봐야 하나?

그렇지만 그건 속이려면 속이기도 쉽고 주변 사람에게 재확인하기도 어렵다. 나의 의심만을 보여주는 꼴이 된다. 아니다, 아니야. 여은이가 장난쳤다기에는 잘 다녀오라고 말하는 게 어색하다. 우린 같이 가기로 했으니까.

너무 신경을 곤두세웠나 보다. 나에겐 제일 믿을 만한 그녀에게 상담해 보는 것도 좋을 것 같다. 아무튼 스토커라도 붙은 건지 너무나도 찜찜하다.

상념에서 깨어나니, 관람차 앞에 우리가 서 있었다. 우리의 탑승 차례였고, 앉은 뒤 그녀를 불렀다.

"이여은."

"응? 왜 그래? 갑자기 분위기 잡고…, 무슨 할 말 있어?"

"그것보다 아까 등교 때부터 내 글씨가 아닌 다른 누가 쓴 이상한 메모가 있어."

그 말을 하자마자 정신이 꺼지고, 다시금 눈이 떠진다. 관람차 앞에 우리가 서 있었으며, 우리의 탑승 차례였다. 내가 또 정신을 잃은 것인가? 정신을 차리고 여은이를 불렀다.

"여은아, 우리 아까 관람차 타지 않았어?"

이 순간이 이해되지 않아 메모장에 관해 묻는 것도 까먹었다.

"무슨 소리야? 우리 이번이 처음 타는 거잖아."

영문을 모르겠다는 그녀의 반응. 하지만 상황이 이해가 안 되는 건 마찬가지이다.

"너야말로 무슨 소리야? 내가 아까 관람차 타면서 메모장에 대해서도 물어봤잖아."

이제는 익숙하게도 눈앞이 암전된다. 다시 그 장면이다. 똑같은 관람차…. 이제는 정신이 들자마자 얘기를 해본다.

"여은아, 메모장…."

다시 또다시, 몇 번을 반복해도 똑같다. 눈을 뜨면 똑같은 장면이 반복되는 기괴하고 불쾌한 경험들로 얻은 사실은, 나는 여은이에게 메모장에 대해 말할 수 없다는 것이었다. 어느 순간에 얘기하든 바로 관람차를 타기 직전으로 돌아왔다. 마치 쓸데없는 얘기는 그만하고 관람차에 타라는 듯이….

말 그대로 역겨운 기분이었다. 세상이 뒤틀리는 느낌이다. 계속 똑같은 장면이 반복되어 멀미가 난다. 속이 울렁거린다. 진정하기가 쉽지 않다. 식은땀이 마구 난다. 눈도 이상해, 시야가 매우 좁아진다. 그 좁은 시야로라도 앞을 바라보려 노력한다. 그러니 날 걱정하고 있는 그녀가 보인다.

그녀와 함께 있다는 걸 이제야 인지했다. 조금이라도 괜찮은 척 해보지만, 후들거리는 다리로 관람차 앞으로 다가간다.

우선은 관람차 좌석에 앉아서, 더더욱 나에게 이상한 상황이 벌어짐을 인지한 채 다시금 생각에 빠진다. 내가 알아야 하는 것 중 가장 중요한 세 가지는 누가, 어떻게, 왜 나에게 이런 짓을 하는가였다.

시간 루프를 겪다 보니, 그 범인을 추리는 것은 자연스럽게 초월적인 존재들에게 눈이 맞춰졌지만, 그 어떤 종교의 신도 이런 쓸데없는 짓을 할 것 같진 않다. 고작 평범한 인간인, 나에게 집착 수준의 관심을 보이는 걸 보아 내 주변에서 날 관찰할 거 같다.

나는 누군지 모를 그에게 역겨운 관찰자라고 이름 붙인다. 우선 주변을 살펴보기 위해 관람차 밖을 둘러본다.

"뭐야, 관람차까지 탔는데 날 봐줘!" 상념이 너무 길었는지 뾰로통해진 여은이가 날 불렀다.

"무슨 일이길래 그렇게 안절부절못해?"

역시 아까 침착하지 못한 모습이 그녀를 불안하게 만들었다. 누가 날 관찰하는진 몰라도, 그가 원하는 반응을 해주고 싶지 않다. 그리고 누구인지 찾아내고 싶기에, 사연스러움을 연기한다.

"아니, 여은아, 너도 봐봐. 저기 밤하늘에 그림처럼 퍼진 폭죽과 사람들의 웃음소리, 너와 함께 그걸 볼 수 있다는 게 너무 좋아서."

이 정도면 어색하진 않았겠지. 복잡한 생각을 뒤로 한 채 다시 그녀를 쳐다보니 부끄러워 핑크빛이 된 뺨과 어쩔 줄 몰라 하는 표정이 보인다.

"가…, 갑자기 그렇게 훅 들어오면 어떡해! 너 일로 와!"하며 나에게 그녀가 달려든다.

관람차는 흔들리고, 나는 그녀를 안아주고 쓰다듬는다. 마구 안겨서 애교를 부리는 그녀를 보니, 이런 상황임에도 웃음이 지어진다. 언제 보아도 사랑스러운 그녀는 나의 마음을 편하게, 풀어지게 한다.

긴장이 풀리며, 다시 생각하게 된다. 확실히 내가 너무 몰려있었나 보다. 그녀가 관찰자라고 생각하기엔 아까 메모부터 시작해서, 증거 부족이다. 또한 그녀가 관찰자라기엔 우린 어릴 때부터 정말 많이 교감하고 애정과 진심, 그리고 사랑을 나눈 사이다. 그런 그녀를 의심한다면 사실상 믿을 수 있는 사람은 더 이상 없다. 사실은 그런 이유가 없더라도, 비이성적으로 보일 지라도, 그녀만큼은 믿고 싶다. 수많은 잡념이 서서히 사라져간다.

마음이 풀어지면서 한편으로는 이런 생각도 든다. 메모에 대해서 말만 하지 않으면, 아무런 일도 일어나지 않는 것 같으니, 어쩌면 혹시 어쩌면 메모들은 무시하고 그녀와 이렇게 지내도 되는 거 아닐까? 물론 그렇게 하기에는 이상한 상황이 맞지만, 너무 그것에 매몰되지 않아도 좋을 것 같다는 생각이 든다. 그래. 오늘은 여은이와 함께 노는 날이니 그녀에게 집중해야겠다.

그렇게 관람차에서 행복한 시간을 보내고, 조금은 더워진 우리가 관람차에서 내려온다. 슬슬 집에 갈 시간이지만, 그녀의 텐션은 떨어질 기미가 보이지 않는다.

마지막으로 퍼레이드 정도는 보고 갈까…. 좋은 생각인 거 같다. 그녀도 퍼레이드 쪽을 향해 눈이 반짝이고 있었으니. 잘 보이는 자리로 이동한다. 늦은 시간에 평일이라 그런지 다행히 자리는 충분했다.

"여은아, 여기 어때? 잘 보이지?"

"응! 너무 좋아. 잘 보여!"

차례대로 놀이공원의 마스코트 캐릭터들과 화려한 옷을 입고, 행복한 미소를 짓고 있는 사람들. 신나고 경쾌한 음악 소리와 어우러지는 악기 연주까지. 무대 장치도 화려하다. 연기와 함께 불꽃도 나며, 반짝이는 행렬들은 이곳이 모두가 행복한 꿈의 장소임을 되새겨주는 듯하다. 마음이 편안해진다.

서서히 꿈만 같던 이 퍼레이드가 막을 내리는 듯하다. 끝이 있어 아쉽지만, 오히려 그렇기에 더욱 특별한 것 같다. 우리의 데이트도 막을 내릴 시간이다. 짐들을 챙기고, 자리에서 일어나 출구로 향한다.

"오늘 정말 좋았어. 여은아, 네 덕에 꿈만 같고 행복한 시간이었어."

"나야말로! 집에 가는 게 아쉽지만…. 우리에게 오늘이 마지막이 아닐 테니까!"

"당연히 그렇지."

우리는 서로 기분 좋은 말을 나누며, 밖으로 나간다. 올 땐, 지하철로 왔지만 그렇게 돌아가기엔 너무 늦은 시간. 택시를 타기에는 돈이 너무 부족하다. 결국 우리는 조금 산 쪽에 있는 버스 정류장으로 움직인다.

표지판 하나만 덩그러니 있고, 의자도 없는 것이 황량하다. 또한 아무도 없는 정류장을 보며 고요함과 으스스함을 느낀다. 보호자 없이 늦게까지 있던 건, 우리 둘뿐인 듯하다. 가는 버스 방향은 똑같았지만, 타야 하는 버스가 다르기에 나는 여은이를 먼저 보냈다.

"내일 보자. 집 들어가면 연락해, 여은아!"

"응. 바보야. 너도 들어가면 연락해!"

그렇게 버스와 함께 그녀는 떠나갔고, 버스 정류장에 혼자 있게 된 나는, 머쓱하게 혼자 핸드폰만을 바라본다. '오늘 이상한 일들은 많았지만, 결국 여은이랑 함께 행복하게 보냈네'라 생각하며 마음을 편하게 놓는다. 그때 *또각또각*⋯ 사람의 발소리가 들려온다. 괜히 그 방향을 쳐다봐서 눈 마주치기도 조금 그렇기에, 그냥 무시한다.

계속 *또각또각*⋯ 너무 가까이 다가오는 거 아닌가 싶을 정도로 다가온다. 내 옆에 서면 좋을 텐데, 굳이 내 뒤에서 그 사람은 멈췄다. 이상한 사람이라 생각하며, 조금 더 앞으로 가 거리를 벌린 뒤, 몸을 돌려 뒤를 바라본다. 나와 비슷할 정도의 장신과 검은색 장발. 물론 옷차림 자체는 깔끔하게 잘 입어서, 패션인가 싶으면서도 좋게 보이진 않았는데 그 이유는 장신구들까지 모두 짙은 검은색을 띠고 있었기 때문이다. 불길하다⋯. 솔직히 말하면 무섭기까지 하다. 검은 모자와 검은 마스크까지 쓰고 있으니 더욱더 거리를 벌리고 싶어진다.

거리를 벌리려 몸을 돌리려는 찰나, 갑자기 그 남자가 나를 밀친다. 화가 났지만, 그래도 이유를 들어보려고 입을 열려 했다⋯. 엄청나게 많은 신경 세포가 뇌에 무언갈 알리려는 것 같다. 그 정체를 인식하려고 노력한다. 어라? 그 전에, 내 배가 왜 이리 뜨겁지? 천천히 시선을 아래로 내려, 복부를 확인한다. 별일이 아니었다. 그저 복부에 칼이 꽂히고 피가 흘러 뜨거움과 따뜻함을 느낀 거였다. 정정한다. 그 개새끼는 나를 밀친 것이 아니라 찌른 거였다. 그로 모자라 칼을 손에서 놓지 않고 내 안을 휘젓는다. 처음 느껴보는 감각이다. 장기들이 속에서 휘저어지는 역겹고 토할 거 같은 기분. 엄청난 격통에 다리에도 힘이 풀린다.

뭐라 말하려 했지만, 그저 컥컥거리며 토하는 듯한 바람 소리만이 나온다. 저항도 제대로 하지 못한 채, 시야는 어두워져만 간다. '여은이는 괜찮으려나….' 이런 상황에도 그녀 생각이 먼저 난다. 온몸에 힘이 풀리며, 정신이 날아가기 시작한다….

얼마나 지났을까, 고통은 다 사라진 상태였고 의식도 있는 듯하다. 천천히 몸에 힘을 주며 눈을 뜬다. 처음 보는 광경이다. 위를 바라보니, 누군가 장난으로 만든 듯한 발광하는 해 모양 색종이와 달 모양 색종이가 밤하늘에 떠 있었다. 이걸 아침이라 불러야 할지 밤이라 불러야 할지 모르겠다. 아니, 그것보다 주위를 더 살펴본다. 어디인지 모를, 구름조차 보이지 않는 하늘 위에 나는 떠 있었다. 내 주위에는 아무것도 없고, 고요함만이 짙게 깔려있다.

당황스러우면서도 공포심까지 느껴지는 상황에 주변을 둘러보려는 찰나, 미소를 짓고 있는 아기 천사가 무언갈 가지고 나에게 날아오는 중이다. 이해가 되지 않는 기괴함에, 당황함과 공포심은 더욱 강화된다.

아기 천사가 가지고 온 물건은 바로 케이크였다. 정말 뜬금없는 물건이기에, 난 이것이 꿈이라고 거의 확신을 가지게 된다. 가만히 지켜보니 아기 천사의 행동도 위협적이지 않고, 꿈이라 생각하니 어느 정도 긴장이 풀린다.

다시 케이크를 바라본다. 내가 제일 좋아하는 생크림 케이크에, 위에는 딸기들이 얹어져 있다. 초는 3개인데 이유는 모르겠다. 나이와는 전혀 관련이 없는데…. 그렇게 상념에 빠지기 직전에, 아기 천사가 말한다.

"3번째 죽음 축하드려요! 와아아아아아!"

미친 건가? 생전 처음 들어보는 단어의 조합에 소름이 돋는다. 생각을 정리하려는데, 아기 천사가 축하 노래까지 부른다.

"당신의 3번째 죽음 축하합니다~ , 당신은 3번 죽기 위해 태어난 사람~"

아. 내가 죽은 건 맞나 보군. 아니. 이런 생각 할 때인가? 가만히 지켜보니 엉덩이를 흔들며 춤을 추고 날 모욕하고 있다.

"아마, 처음은 아니겠지만 오장육부가 휘저어져서 배 밖으로 나오려는 기분은 어땠어요? 지금의 당신은 처음 느껴보는 기분일 텐데, 짜릿하지 않았나요!?"

내 굳은 표정은 무시하며, 날 계속 놀리고 있다. 점점 듣다 보니 화가 치밀어 올라, 아기 천사가 가지고 있던 케이크를 발로 찬다.

"씨발, 적당히 하지? 너 뭔데 그 지랄하는 건데."

아기 천사의 표정이 소름 돋을 정도로 빠르게 굳는다. 내 몸이 공포감으로 급격히 가득 찬다. 그와 함께 쳐다보는 것만으로 정신을 잃을 것 같은 엄청난 크기의 눈알 2개로 변한다. 심장이 죽음을 조심하라는 듯, 매우 빨리 뛰고, 눈은 나에게 당장 시선을 돌리라고 외치는 듯하다. 팔다리가 덜덜 떨린다. 헛구역질이 나온다.

그것은 내가 어쩌든 아랑곳하지 않고 움직인다. 입이 없는 눈동자 두 개지만, 이해 안 되는 그리고 표현조차 할 수 없는 괴상망측한 방법으로 나에게 얘기를 한다.

"넌 재미 없었나 보네. 난 이런 자잘한 서프라이즈를 좋아해서 말이야. 그래도 지겹기는 하네. 세 번째로 설명해야 하니, 잘 들어 한 번만 얘기할게."

그것이 괴상하게 킥킥 웃는 소리를 내며 설명한다. 정신이 아찔하다.

"첫째, 넌 살해당했어. 누구한테냐고 묻는다면 내 다른 귀요미한테? 이건 비밀인데, 넌 그 녀석을 죽이게 되거나, 그 녀석이 널 죽이게 될 거야. 필연이라고 해야 할까? 그리고 난 네가 역겨운 관찰자로 이름 지어준 존재야. 좋은 이름 고마워.

둘째, 네 메모장에 글을 쓴 건 나야. 그대로 따라도 좋지만 안 따라도 상관없어. 네 자유야.

셋째, 넌 죽으면 내가 처음에 남긴 메모를 확인할 때로 돌아갈 거야. 물론 기억은 지워서 말이지. 또한 너무 되돌아가면 재미없으니 두 번의 기회만 더 줄게. 즉 6번째 죽음은 진짜 죽음이야. 고맙지?

넷째, 내 실수임을 인정해. 2회차부턴 너에게도 기회를 줬지만, 너무 늦었던 거 같네. 밸런스가 맞지 않아. 그런 건 재미없잖아.

다섯째, 이긴 자에겐 행복이 기다려야지, 감옥과 죄수 생활, 그리고 트라우마가 기다리면 안 되겠지? 너희 서로와 관련 있는 사람에 대한 살인은 목격자가 없는 한 범인을 절대 찾지 못할 거야. 심지어 당사자의 죽음은 없는 일로 해줄게. 원한다면 기억까지도.

마지막으로, 내가 너에게 주는 기회는 이 주사위야."라며 미소 짓는 아기 천사로 변해서는 나에게 평범한 정육면체 주사위를 던진다.

몸은 위압감에서 헤어 나오지 못하고 있고, 아직도 떨리는 손으로 주사위를 확인해 본다. 주사위를 확인해 보니 1부터 6까지 적혀있는 평범한 주사위다. 아무리 보아도 특이한 점을 느낄 수 없어 천사를 바라본다.

"네가 주사위를 굴려서 나온 수만큼 루프 후에도 유지되는 메모를 쓸 기회를 줄게. 물론 눈금 하나당 하나 정도의 정보를 적을 수 있어! 기준은 내 맘대로야! 다 쓰면 나한테 가져다줘."

그것의 어린아이 같은 목소리, 말투와 그저 재미로 즐기는 듯한 태도로부터 혐오스러움을 느낀다. 그런 역겨움에서 벗어나지 못한 채로 이야기들을 들어서, 단 한 마디도 못했다. 사실 지금도 잘 모르겠다. 영문을 모르겠고, 내가 괜찮은지도 모르겠다. 머리가 어지럽고, 손이 떨려온다. 하지만 정신 차려야 한다.

헛구역질 나는 것을 참으며, 지금이라도 머리를 굴린다. 아까 들은 말들을 머릿속으로 정리해 본다. 이제야 괴상했던 글씨체와 나의 글씨체 둘 다 이상한 메시지를 전한 것이 이해되었다.

조금 더 생각해 보자. 우선 저 녀석이 썼던 "잘 다녀와."라는 내 입장에선 거짓이었다. 즉 죽음으로 향하는 길이었다. 의도적으로 그 말을 따른 건 아니었지만, 가지 말라는 저번의 내가 쓴 글을 보면, 놀이공원에 가면 죽는 것 같다.

실제로 그것은 자기 말이 옳고, 자기 말만 따르라고 한 적도 없고 자유라고 한다. 저 녀석은 본인의 재미를 위해 이런 짓들을 하는 것 같다. 추가로 내가 마음속으로만 생각했던 역겨운 관찰자라는 이름을 알고 있다. 최소한 그것은 나에게 있어 전지전능한 존재임을 빠르게 받아들인다. 그럼에도 그것을 절대 믿을 만한, 호의적인 존재가 아님을 되새긴다.

"뭐해. 무슨 생각해? 빨리 주사위 던져! 나도 궁금하단 말이야!"

그 녀석이 재촉한다. 어린아이 같은 성격이라 이 기회를 뺏을 가능성도 있고, 그리할 능력도 있는 놈이니, 순순히 말을 듣고 주사위를 굴린다. …… 3이 나왔다. 저번보다는 높아서 좋다고 해야 할지, 운이 나쁘다고 해야 할지 모르겠다. 어떤 내용을 쓸

지 뇌를 가속한다. 일단 생존에 관한 건 이전의 내가 이미 써놨다.

그 뒤에 가장 중요한 것은, 이 상황을 알리는 것이다. 메모에 적을 세 가지를 고르기 시작한다. 죽으면 기억을 잃고 처음으로 돌아가는 것을 알려야 하고, 내 글씨를 무조건 믿으라고 메모를 써야 한다. 이렇게 두 가지는 쉽게 정해졌지만, 세 번째가 고민이 된다. 누군가 날 노리고 있다고 적어야 할까? 혹은 버스 정류장의 살인마를 대비하라고 할까? 전자는 바로 다음 생엔 크게 도움이 안 될 거다. 그러나 크게 본다면 나중에도 유용할 말이다. 후자는 놀이공원을 간 상황에서만 유용하다.

이 한 번으로 그놈을 끝장낼 수 있으면 좋겠지만, 그것을 이용하려면 놀이공원을 가는 한 가지 상황으로만 좁혀지는데, 이미 놀이공원을 가지 말라고 써 놨으니, 그곳을 가게 할 방법이 없다.

아무래도 둘 다 선택하기에는 아쉬운 점들이 있다. 다른 쪽으로 생각을 돌린다. 내가 죽은 횟수와 진짜 죽을 수 있다는 걸 알려야 할 것 같다. 바보처럼 목숨을 날리지 않기 위해서. 그렇게 세 가지를 적어서 천사에게 보여준다.

"땡! 마지막의 것은 안 돼, 정보가 2개나 있어."

깐깐한 녀석. 생각해 보니 저 녀석의 말이 틀린 건 아니다. 곧장 다른 방법을 고안해 본다. 다른 내용을 넣기에는 저 내용이 너무 필수적이다. 생각에 생각이 꼬리를 문다……. 다시 한번 천사에게 검수를 받는다.

"오 뭐야 똑똑한데! 이런 방식. 아주 좋아. 이건 괜찮아."

다행히 통과이다. 내 목적을 이루어내고 말았다. 통과 받기 위해 내가 쓴 방법은, 바로 그림이었다. 깨진 하트 모양 3개를 그리고, 온전한 하트를 2개 그린다. 사실상 세보자면 온전한 하트는 3개를 그려야 맞지만, 그러면 죽을 때마다 기회 한번을 소진해서 하트를 지속적으로 깨뜨려줘야 한다.

왜냐하면 4회차든, 5회차든, 6회차든 나는 내 메모에 있는 하트를 전적으로 믿고 기회가 3번 있다고 생각할 테니, 위험하지 않으려면 매번 메모를 써야 하는 것이다.

너무나도 비효율적이다. 그래서 처음엔 한 개를 그리려 했지만, 마지막 목숨이란 것에 매몰되어 여러 가지 방법을 생각 못할 거 같았다. 그래서 어떤 회차든 최선을 다할 수 있는 하트 2개. 죽으면 다음이 끝이니, 더 열심히 할 것이고, 죽음을 감수해서라도 얻을 수 있는 엄청난 이점이 있다면 그걸 얻을 수도 있을 것이다.

이렇게 하면 5번째 죽음 이후에 기회 한 번만 더 써서 6회차가 마지막 죽음임을 알려, 기회를 효율적으로 사용 가능하다.

다음은 여은이에 관해 물어볼 차례다. 왜 그녀에게 메모장에 관해 얘기하면, 기억을 갖고 회귀했는지 알아야만 한다. 어느덧 조금 긴장이 풀린 몸으로 아기 천사를 부르며 물어본다.

"하나…, 물어봐도 돼?"

의외라는 듯한 표정을 지으며 천사가 말한다.

"응? 무슨 일이야? 다 설명해 준 거 같은데?"

다행히도 질의응답엔 호의적으로 보인다.

"네가 설명 안 해준 게 하나 있어. 관람차 앞에서 여은이에게 메모장에 대해 얘기할 때마다, 기억을 가지고 회귀했는데 그거는 왜 그랬던 거지?"

꼭 짚고 넘어가야만 한다. 가능만 하다면, 이것은 죽지 않고 회귀할 수 있는 방법이니까. 또한, 어떤 회차의 나든 분명히 여은이에게 메모장에 대해 얘기할 것이다. 그녀를 의심할 때도 있었지만, 결국 내가 가장 믿을 수 있는 사람이니까. 무언가를 알리지 않고도, 자연스럽게 안전한 회귀를 깨달을 수 있을 것이다. 이것이, 메모할 3번의 기회를 여은이에 관해 안 쓴 이유이기도 하다.

"아, 그거? 괜히 여자 친구 의심하지 말고, 놀이공원 갔으면 재밌게 놀라고 해둔 건데."

장난스러운 말투에 헛웃음이 나온다. 나에겐 매우 중요한 일을, 아무것도 아닌 것처럼, 그저 장난처럼 얘기하는 아기 천사.

"음…. 그래도, 이제는 사랑으로 역경을 극복하는 것도 재밌을 거 같아! 그건 풀어줄게!"

뭐라고? 고작 저 녀석의 변덕으로, 위험 부담 없는 완벽한 회귀가 무너졌다. '괜히 말했나?'보다 먼저 드는 마음은, 저놈의 얼굴을 뭉개버리고 싶음이다. 너무나도 얄미워 어느 정도 사라진 공포심을 화가 이긴다. 말을 고르려고 해도 쉽지 않다. 표정 관리가 되지 않는다.

그때, 아기 천사의 무표정한 얼굴이 내 눈앞 매우 가까이 다가온다. 순간적으로 흠칫하며 몰려오는 공포감에 뒤로 물러난다.

"내가 웃고 있다고 바보는 아냐. 이번에 쓴 메모랑 그 완벽한 회귀가 합쳐진다면 균형이 맞지 않아. 나는 죽음으로, 죽음마저 극복하며 이기는 걸 보고 싶거든. 물론 둘 중 누구든 말이야. 이견 있으면 말해도 괜찮아. 더 불리해지고 싶으면 언제든!"

진지하고 무거운 목소리에서 끝에 가서는 또 장난스러운 목소리로 마무리했다. 우선 놀란 가슴을 추스른다. 호흡을 가다듬고, 생각해 본다. 그것이 말한 불리해지고 싶으면 더 말해보라는 저 말이 농담이 아닐 거다. 애초에 그것은 지금까지 거짓을 말한 적이 없다.

역시나 뭔지 모를 역겨운 놈한테 잘못 걸린 것이 다시 실감이 난다. 더 이상 여기에서 할 수 있는 것이 없다. 그것에게 말을 건다.

"알겠어. 이제 어떻게 하면 회귀할 수 있지?"

"뭐야. 벌써 준비가 다 된 거야? 준비할 것도 없지만, 너 보기보다 생각 정리가 빠르구나. 조금 더 놀 수 있나 했더니… 그래, 보내줄게!"

그것의 말이 끝나자마자, 내 시야가 암전된다. 혹시 내 병이랑 연관이 있나? 병 때문에 시야가 어두워지는지, 회귀를 하게 되는 건지 구분할 수가 없다.

그동안도 사실은 병이 아니었나 싶었지만, 병이 맞을 것이다. 저 장난스러운 녀석이 날 어릴 때부터 봐왔다면, 티를 내고 싶어 참지 못했을 것이다, 이상한 일들 천지였겠지. 하지만, 이번 사건들을 제외하곤 나름 평범하게 살아왔다.

어릴 적 생각을 하니, 여은이가 다시 떠오른다…. 어릴 때부터, 항상 대장부처럼 날 끌고 가서 자기랑 결혼하자 하던 모습, 그땐…, 사실 싫어하는 척을 했던 것 같다. 속으로는, 매우 기뻐하면서. 생각이 끊이질 않는 걸 보아하니, 그녀와도 참 오래됐다는 생각이 든다.

어느덧 눈앞에, 그녀가 생생하게 있는 것만 같다. 손을 뻗어 잡으려 하지만, 그녀의 부드러운 손을 맞잡기 전에 몸에 힘이 풀린다. 생각할 힘도 점점 사라진다. 이제는 아무런 생각도 들지 않는다….

제2화 4번째 목숨

서서히 빛이 보인다. 이럴 때일수록 집중해야 한다. 꿈 같은 이상한 기억과 헷갈리지 않도록, 내가 깨어난 후 가장 먼저 하는 일은 메모장을 확인하는 일이다. 내 손바닥 정도 크기의 메모장을 오른쪽 주머니에서 꺼낸다. 메모장을 펼쳐서 확인해 본다.

"이제 시작이야. 재밌겠네."

내 글씨체와는 확연히 다른 메모가 적혀있다. 누군가가 장난을 쳤나 싶지만, 이 메모장에 대해 아는 사람은 나와 내 여자 친구 뿐이다. 무엇인가 섬뜩하다. 그런데 다음 메모장에도 글이 적혀 있다.

"잘 다녀와. 저 글씨를 믿지 마. 가지 마."

이번엔 내 글씨체도 있다. 그런데 어디를 가고, 가지 말라는 거지? 학교를 얘기하는 건가? 보면 볼수록 의문은 늘어만 간다. 다시 메모장을 넘겨본다.

"내 글씨만을, 그리고 그것을 신뢰해라."

무슨 의미지? 이것 또한 내 글씨체는 확실히 맞다. 다른 무언가 있는지, 다음 메모장을 확인해 본다.

"나는 죽으면 기억을 잃고, 지금 이때로 회귀한다."

무슨 만화 같은 얘기이다. 쉽사리 믿을 수 없다. 다음 메모를 확인해 본다. 이번엔 그림이 그려져 있다. 깨진 하트 3개와 그냥 하트 2개…. 알 수 없는 말들이다…. 멈춰서 생각해 보고 있는데, 왜인지 뒤를 돌아봐야 할 것 같은 느낌이 든다. 잠깐 메모장을 닫고, 뒤를 돌아본다.

언제나 함께여서 익숙하면서도, 항상 내게 새로운 설렘을 주는 그녀가 서있다. 어떠한 사고가 진행되기 전에, 몸이 먼저 나가서 그녀를 안는다. 부끄러워하는 그녀가 내 품에서 나가려 발버둥치며 말한다.

"야! 그런다고 나 두고 간 거 내가 봐줄 줄 알아?"

아. 그녀와 함께 가는 걸 깜박했다. 병 때문이었지만, 서로 머쓱하지 않게 그녀를 더욱 품에 안으며 말한다.

"이렇게 먼저 와서, 안아주려고 했지! 그리고 봐줄 거 다 알아."

이리 능청스럽게 넘어가니, 자기만 당한 거 같고 억울하다는 듯한 표정으로 뾰로통해진 그녀가 말한다.

"그렇게 능청스럽게 말하지 마! 휴…, 화도 못 내겠고, 대신 좀만 더 안아줘!"

어쩜 사람이 저렇게 귀여운 말과 귀여운 행동을 할 수 있는지 모르겠다. 그녀를 더욱 껴안는다. 그렇게 행복한 시간을 거치고, 슬슬 학교로 들어간다.

고등학교의 정문치고는, 매우 큰 입구를 지나, 새파란 잔디가 깔린 운동장을 넘어서, 학교보다는 신전이나 호텔에 어울릴듯한 기둥으로 세워진 구조물이 있는 본관 입구로 가는 도중에 종이 울린다.

입구에 계신 선생님들이, 어서 들어가라며 재촉하신다. 그녀에게 같이 뛰자는 눈빛을 보내고, 달리기 시작한다. 입구를 지나,

중앙 계단을 달려 올라간다.

중간중간 그녀가 잘 따라올 수 있도록, 쉬엄쉬엄 간다. 그렇게 3층에 도달하니 그녀가 힘든지 헉헉거린다. 빠르긴 빠르지만 이렇게나 체력이 약해서 어떡하지, 걱정도 되면서 지켜주고 싶은 마음이 더욱 커진다.

그녀가 숨을 다 고른 후, 내 손을 다시 잡는다. 심호흡하며 반으로 들어간다. 문을 여니, 이미 선생님은 와 계셨고 반의 모두가 쳐다본다.

공식 커플이 둘이 같이 지각한 걸 보고, 친구들이 의미심장한 눈빛을 보내면서도, 웅성웅성한다. 아. 이건 나도 부끄러운데. 여은이랑 함께 고개를 숙이며, 사과드리고 빨리 자리에 가서 앉는다. 선생님도 친구들을 조용히 시키며, 수업은 재개된다.

수업에 집중이 되지 않는다. 원래도 공부 머리는 아니었으나, 그것과 별개로 메모에 온 집중이 쏠린다. 무슨 소설 같은 이야기라 믿기는 힘들지만, 적혀있던 건 분명 내 글씨체가 맞다. 거짓으로 치부하기보단, 우선은 메모들이 사실이라고 가정하고 생각해 보자.

중요한 것부터 생각해 본다. 죽으면 기억을 잃고, 회귀한다는 건 이미 나는 회귀한 상태인가? 아마도 그럴 것이다. 깨진 하트가 죽은 횟수를 의미하고, 온전한 하트가 목숨을 의미한다면 지금 내 삶은 4번째고, 목숨은 이번 생과 다음 생이 마지막이다.

믿기 쉽지 않다… 평범한 고등학생이 3번이나 죽을 일이 있었을까? 일단 이건 차치하고, 내 글씨만을 믿으라는 것은 타당해 보인다. 하지만 나머지 두 메모와 또 다른 글씨. 또 다른 글씨를 믿지 않는다면, 나는 어딘가를 가면 안 된다. 그곳이 어디인지는 알 수 없다… 학교라면 이미 늦었을지도…

닥쳐오는 불안감을 뒤로 하고, 다른 글씨체에 대해 생각한다. 저건 누가 쓴 거지? 잘 다녀와는 이해가 되지만, **"이제 시작이야. 재밌겠네."**라는 말은 무엇이 시작이라는 건지 알 수 없다. 또한 누가 쓴 건지 알 수 없다면 믿지 않는 게 맞다. 메모장에 대해서는 나와 여은이 외에는 아무도 모르는데…. 우선 그녀에게도 물어봐야겠다.

이런저런 생각들을 하다 보니, 벌써 종이 울리며 수업은 끝나 있다. 메모장에 대해 얘기하기 위해 그녀를 찾아보는데, 저기 자리에서 일어나 내게 달려오는 그녀가 보인다. 윽. 저건 좀 아플 거 같은데. 좋은 냄새와 함께 내게 달려온 강아지 같은 그녀의 모습에 미소를 짓는다.

"무슨 생각을 그렇게 골똘히 해? 얼굴에 '나 지금 심각해요' 라고 쓰여 있는데?"

역시 티가 났나 보다. 심각한 표정을 지으며, 그녀에게 가까이 오라고 손짓하고 우리 둘만 볼 수 있게 메모장을 꺼낸다.

"응? 갑자기 메모장은 왜? 너 이거 보여주기 꺼려하잖아…"

"한번 봐봐. 내가 쓴 적이 없는 내용인데 내 글씨체로 된 메모랑 처음 보는 글씨체로 써진 내용이 있어."

그녀는 다 읽고 나더니, 장난기 있는 미소를 지으며 말한다.

"이거 이거, 평소엔 장난을 안 치더니만 이번엔 되게 잘 치네?"

장난이었으면 보통은 내가 이 타이밍에 웃을 것이다. 그러나 내 표정은 그대로 진지하다.

"야, 다 들켰어! 더 연기 안 해도 돼, 바보야."

그래도 아무 반응이 없자, 그녀 또한 표정이 어느 정도 진지해진다. 그녀에게 진심임을 역력히 표현한다. 그녀의 반응을 보아

하니 물어볼 것도 없이, 그녀가 장난친 건 아닌 것 같다.

그녀와 머리를 맞대고, 이를 진지하게 받아들일지 무시할지 생각해 본다. 다행히 그녀 덕분에 결론은 빠르게 나왔다.

"일단은 믿어도 괜찮지 않을까? 믿는다고 딱히 손해보는 부분이 있는 것도 아니고, 네 글씨체를 베끼면서까지 장난치지는 않을 거 같아."

나도 저 의견에 동감한다. 적혀있는 내용 자체가 내게 손해를 입히는 것은 없다. 또한, 내 글씨체로 된 모든 메모가 나의 안위를 위해 적혀있는 것 같다. 그리고 직접적으로 행동을 지시하는 건, 이상한 글씨를 믿지 말고 가지 말라는 것뿐. 믿을 이유보단 믿지 않을 이유가 더 적어 보인다.

"그런데, 여은아. 가지 말라는 건 어딜 가지 말라는 걸까?"

"글쎄? 그건 정말 모르겠어. 학교가 아니기만을 바라야 할 거 같은데…"

그렇게 얘기를 나누다 보니 어느새, 쉬는 시간이 끝남을 의미하는 종소리가 울린다. 내 품에 있는 그녀를 안아 들어, 바닥에 내려놓고, 그녀는 총총거리는 발걸음으로 자리로 돌아간다. 역시나 귀여운 그녀이다. 또 다른 선생님이 들어오신다.

다시 새로운 수업이 시작되지만, 역시나 집중이 될 리가 없다. 생각해 볼 게 너무 많다. 우선은 내가 왜 죽었는가부터 생각해 봐야 한다. 상대가 한 명이었을까? 여러 명이었을까? 아무래도 여러 명 쪽에 힘이 실린다. 내 입으로 말하긴 좀 그렇지만 키도 꽤 큰 편에 다부진 체격이라, 한 명에게 쉽게 당하진 않았을 것 같다.

그럼에도 불가능한 것은 아니니, 우선 한 명이라고 가정해 보자. 상대가 엄청난 고수인 게 아니라면, 연장을 들었을 수도 있다. 가장 먼저 떠오르는 건 칼과 총. 하지만 총 같이 대응 수단이 거의 없다면 가지 말라는 얘기보다는 총 얘기가 있어야 이치에 맞을 것 같다. 그럼에도 조심을 해보자면, 책으로 만든 방탄복 정도일 것 같다.

칼이나 연장이라고 생각해 보면, 분명 내가 불리하기는 하나, 못 도망치거나 소리를 외치지 못 할 정도는 아니다. 그럼에도 죽었다는 건, 주위에 사람이 없는 곳 그리고 기습을 조심해야겠다.

다수일 경우에는 나도 답이 없다… 최대한 조심하는 수밖에, 아무리 다수여도 길 한복판에서 날 죽일 수는 없었을 테니까, 결국 외진 곳을 조심하는 걸로 생각이 쏠린다. 그렇지만 내 주위엔 딱히 외진 곳이라고 할 곳이 없긴 하다.

내가 놓친 것이 있는 걸까? 일단 어디에서든 조심하자… 온갖 생각을 하며 머리를 쓰니, 잠이 몰려온다. 선생님껜 죄송하지만, 조금만 쉬어야겠다. 몸을 엎드려서 불편한 자세로 눈을 감아 휴식을 청한다.

…… 얼마나 지났는진 모르겠으나, 잠든 학생들을 깨우는 종소리가 울린다. 졸린 눈을 비비며, 시계를 확인해 보니 점심시간이 다가왔다. 뻐근해진 몸을 쭉 펴주고 자리에서 일어나 여은이에게 다가간다.

항상 점심시간이면, 강아지처럼 신나있는 그녀인데 오늘은 그녀도 고민이 많은지 표정이 영 좋지 않다. 그녀가 진지한 표정으로 입을 연다.

"저기… 혹시 가지 말라고 한 게 오늘 우리가 가기로 한 놀이공원 아닐까…? 오늘 말고 다른 날에 갈까…?"

아. 아침부터 정신이 없어서 잊고 있었다. 오늘 가는 곳은 학교 말고도 또 있었다. 그녀와 놀이공원에서 교복 데이트를 하기로 했다. 그녀가 말은 저렇게 했지만, 오늘을 전부터 엄청나게 기대해 왔던 걸 안다.

"에이. 아닐 거야. 그런 사람 많은 곳에서 무슨 일이 있겠어? 정 걱정되면 단단히 준비하고 갈게!"

그렇기에 도저히 가지 말자고는 못 하겠다. 약속이 미뤄질 것 같은 실망감과 별개로 나를 걱정하는 마음이 크다. 그녀를 실망하게 하고 싶지 않다. 저렇게 말을 해도 걱정하는 그녀를 달래고 안아주면서 안심시킨다.

아직도 걱정하고 있지만, 아까보단 훨씬 표정이 괜찮아진 그녀와 팔짱을 끼고 반을 나선다. 서문 계단으로 내려가고 축구하는 친구들이 보이는 푸른 운동장을 지나간다. 날씨가 정말 좋다. 나도 오늘을 놓치고 싶지 않다. 그런 생각을 하며 급식실로 들어간다.

이제는 그녀도 기분이 많이 나아진 것 같다. 장난치면서 줄을 기다리다가, 급식 판과 수저를 챙기고 급식을 받아 자리에 앉는다. 먼저 가 있던 친구들 근처에 자리를 잡고 평소처럼 그녀의 옆에 앉는다. 옆에 앉으면 그녀가 오물오물하면서 귀엽게 먹는 걸 볼 수 있다.

빠르게 내 걸 마무리한 후, 턱을 괴고 그녀를 지긋이 바라본다. 내 속도에 맞추려고 오물오물… 빠르게 넘긴다. 그 배려가

고마워서 혹시 체할까, 걱정되어 물을 챙겨주러 잠깐 일어난다. 일어나니, 그녀가 올망졸망한 눈으로 어디 가냐고 묻는다. 너무 귀여워서 웃음을 참지 못하며 물을 뜨러 간다고 한다.

 그렇게 식수대로 가 컵을 챙겨 물을 따르고 그녀에게 갖다준다. 역시나 목이 막혔는지, 고맙다고 하고는 빠르게 컵을 비운다. 다시 물을 따라 갖다주니, 다 먹었다는 듯이 자기 배를 두드린다. 저렇게 귀여운 건 또 어디서 배워왔는지. 참.

 자리를 정리하고, 내려온 언덕을 다시 오른다. 간간이 마주치는 친구들과 선생님과 인사를 한다. 운동장으로 오라는 친구들에게 손사래를 치며, 다시 서문을 통해 우리 반으로 이동한다.

 반에 도착하여, 여은이 자리에 앉아서 그녀를 안아 내 위에 얹힌다. 그녀가 부끄러워 발버둥을 쳐보지만 벗어날 수 없음을 깨닫고, 가만히 푹 늘어진다. 그 모습을 보니 웃음이 나온다. 그러니 무엇이 그리 웃기냐며 뭐라 하는 모습조차 귀엽다.

 그녀를 다시 내려준다. 그녀는 내 주위에서 친구들과 대화하며, 나는 생각에 잠긴다. 놀이공원이라. 아까 놓친 부분이 생각났다. 바로 사고사다. 내 사인이 사고사라면 놀이공원과 같이 사람 많은 곳에서도 충분히 죽을 수 있다.

아까와는 생각이 달라진다. 불안감이 엄습한다. 놀이공원을 가지 말아야 하나? 사고사는 내가 어떻게 할 수 있는 부분이 아니다. 심지어 그녀와 함께라면 더욱더 위험 감수를 하고 싶지 않다. 하지만 그녀를 실망하게 하고 싶지도 않다. 어떡해야 하지…

미루는 게 맞을까? 아니면 놀이기구를 타지 않는 것도 방법이다. 물론 사고에 휘말릴 수도 있지만 놀이기구를 최대한 피해 다니면 될 것이다. 놀이공원은 놀이기구뿐만 아니라 즐길 것들이 많고, 볼 것도 많다. 사람들에게 환상의 장소로 보이기 위해 최선을 다한 곳이니 말이다.

그럼에도 걱정되는 건, 역시 그녀가 실망하는 것이다. 같이 놀이공원을 간 건 오래 전이라 그녀가 놀이기구를 얼마나 좋아하는지 모르겠다. 그녀와 친구의 대화가 마무리되길 기다리고 그녀에게 말을 건다.

"여은아, 혹시 놀이공원은 가는데 놀이기구는 안 타는 건 어떻게 생각해?"

무슨 말인지 모르겠는 표정으로 그녀가 물어본다.

"그게 무슨 말이야? 굳이 그럴 이유가 있나?"

그녀가 내 말의 의미를 눈치채지 못한 것 같다. 주변에 친구들도 있으니, 귀에다가 이유를 속삭인다. 그녀가 소스라치게 놀라며 부끄러워한다. 그녀는 나에게 뭐라고 하려다가, 이야기를 듣더니 이해하고 고민하더니 얘기한다.

"난 그것도 좋아! 분명 둘러보는 것도 재밌을 거고, 놀이기구가 아니더라도 할 수 있는 것들이 많잖아! 무엇보다 너와 함께 놀러 간다는 게 제일 좋은 거야, 바보야!"

감동이다…. 실망할까 봐 걱정하고, 다른 방법이 있나 생각 중이었는데, 저렇게 얘기해주다니. 다시 그녀에게 반한다. 역시 그녀를 안 좋아할 방법 같은 건 이 세상에 존재하지 않는다.

그렇게 한시름 놓고 그녀와 장난치고 떠들며 점심시간을 보낸다. 그렇게 시간을 보내다 보니, 종이 울리고 복도에 있던 애들도 후다닥 뛰어서 반에 들어온다.

나도 이제 내 자리로 돌아가서는 쭈욱 늘어진다. 이제는 좀 쉬어도 되겠지… 여러 가지, 너무 많이 생각했다. 또 다른 수업이 시작되고, 나는 턱을 괴고 꾸벅꾸벅 눈이 서서히 감긴다.

……

눈꺼풀이 무겁지만, 그래도 예의상 눈을 뜨려고 눈에 힘을 준다. 그때, 내가 상상한 풍경과는 너무나도 다른 모습이다. 교실에서 공부하는 친구들과 수업하시는 선생님, 그리고 나를 쳐다보는 그녀를 상상하며 눈을 떴는데, 나는 처음 보는 곳에 와있었다.

꿈인가 싶었지만, 그렇다고 무섭거나 두렵지는 않았다. 왜냐하면 주변 풍경 자체가 매우 평범하다. 3평쯤 되어 보이는 방이다. 나는 책상 앞 의자에 앉아있었다. 뒤에는 침대가 내 왼편에는 방문이 있다. 일단 주위를 좀 더 살펴본다. 침대 근처를 뒤져보니 손거울이 있다.

'꿈에서는 거울이랑 시계를 못 본다던데, 거울을 보면 꿈에서 깨려나?'라고 생각하며 손거울을 들어 확인한다. 그때 순간 놀라 손거울을 놓치고 뒤로 넘어진다. 내가 봤던 건 내 얼굴이 아니라, 미소 짓고 있는 아기 천사의 모습이었다.

순간 정신이 멍했지만, 놀란 가슴을 추스르고 잠에서 깨기 위해 볼을 꼬집어 본다. 볼이 아프다. 여긴 진짜 어디지? 여기에 영영 갇히는 건가? 순간 공황이 왔다. 이런 순간에 내가 항상 해오던 걸 본능적으로 해낸다. 호흡을 가다듬고 천천히 들이마시며 천천히 내쉰다.

어느 정도 시간이 지나고, 진정되어 방을 더 살펴본다. 사실 왼편에 저 문을 열어봐야 할 거 같지만 무엇이 있을지 모르니 침대를 더 뒤지다가 책상을 살펴본다. 책상에 아깐 아무것도 없었는데 무슨 책 하나가 있다. "5번의 죽음 6번의 목숨"이라고 쓰여 있다.

열어서 내용을 확인해 보는데, 아무런 글씨도 쓰여있지 않다. 제목과 아무것도 없는 내용이 무슨 의민진 모르겠지만, 문을 나서기 전에 들고 가야겠다. 무기로 쓰이든 어떤 걸로 쓰이든, 있는 것이 없는 것보단 나을 것이다.

이제 문을 열 차례다. 마음의 준비를 하고, 다시 심호흡한다. 무엇이 튀어나올지 몰라 오른손에 책을 들고, 왼손으로 손잡이를 잡고는 확 내린다. 밝은 빛이 쏟아진다. 눈이 반사적으로 감기고, 빛이 사그라질 때까지 기다린다.

서서히 빛이 사그라들고, 눈을 뜨니 교실 책상에 내가 엎드려 있다. 허리가 아주 뻐근한 걸 보니 꽤 오래 이러고 있었나 보다.

눈을 비비며 일어나 주변을 보니, 다들 가방을 싸고 있다. 종례 시간인가 보다. 나도 설렁설렁 가방을 싸고, 선생님께선 애들을 조용히 시킨다. 내가 가방을 다 쌀 때쯤 종례도 마무리되는 듯했고, 그녀가 내게 다가와 팔짱을 낀다.

"얼른 가자! 지하철 시간 맞춰서 가려면 빠듯해. 우리 학교 정문까지는 뛰어갈까?"

뛰어가자는 말을 하면서 그녀가 배시시 웃는다. 빨리 가자고는 해도, 뛰는 게 목적이구나. 그녀는 꽤 잘 달려서 나를 곧장 따라온다. 그래서 그녀와의 달리기 대결은 심장 떨리고 재밌다. 알겠다고 고개를 끄덕이고는 순간적으로 팔짱을 빼고 먼저 달려가기 시작한다.

"야! 치사하게! 같이 가!"

역시 그녀와 있으면 이렇게 즐겁고 행복할 수가 없다. 서쪽 계단으로 뛰어 내려가 서문을 열고 나간다. 잠시 뒤를 돌아보니 분해하면서 그녀가 발끝까지 따라붙고 있다. 이젠 언덕이다. 보통은 여기선 속도를 줄이고 가지만, 여기서 승부를 본다.

더욱 빨리 달리면서 넘어질 것 같을 땐 가로수들을 손으로 잡으면서 위험천만하게 내려간다. 정문으로 와 손을 털고 위를 보니, 결과에 승복하고 천천히 내려오는 그녀가 있다.

그녀가 내려오길 기다리는데, 거의 다 도착해서는 갑자기 내게 뛰어든다. 편법에 대한 복수라는 듯이 나를 마구마구 때리지만,

하나도 아프지 않다. 그녀를 놀리다가 더 맞고는 슬슬 역으로 향한다.

거리에서 역 안으로 내려와, 카드를 찍고 승강장에서 지하철을 기다린다. 하교 시간이다 보니 사람이 적진 않다. 기다리다 보니, 지하철이 들어와 탑승했다. 다행히 같이 앉아서 갈 수 있었다.

이렇게 생각할 시간이 주어지니, 학교에서 꾼 이상한 꿈이 생각이 난다. 사실 꿈인지도 모르겠다, 볼을 꼬집어도 아팠으니. 무슨 의미가 있었나 생각해 봐도 알 수 없는 것투성이였다.

그나마 내 상황과 관련 있는 건, "5번의 죽음 6번의 목숨"이라는 책 제목인데, 이마저도 나와는 조금 다르다. 난 현재 3번의 죽음, 5번의 목숨이라고 할 수 있으니까 말이다. 그럼에도 기억은 해둔다.

그 평범한 장소에 맞지 않는, 웃고 있는 아기 천사는 무엇이었을까. 혹시 내가 그렇게 변하는 건가? 그 괴상한 모습으로는 전혀 변하고 싶지 않다. 그러지 않기를 바란다. 이것으로 생각을 정리하고, 슬슬 일어날 준비를 한다.

시간도 시간이고, 위치도 위치인지라 사람들이 거의 없었는데,

눈에 띄는 남자가 있다. 옷차림과 장신구들이 모두 검은색 혹은 그 계열의 색이었다. 속으로 '덥지 않으려나.'라 생각하며 여은이의 어깨를 톡톡 건드려 깨운다.

다음 역에 내린다고 손짓하고 위에 올려둔 가방을 챙기는데, 이상하게도 그 남자가 자꾸 신경 쓰인다. 어딘가 익숙한 느낌이 나면서도 불길하다. 가능하면 가는 길이 안 겹치면 좋겠는데…

역시나 이런 걸 바라면 항상 이루어지지 않는 것 같다. 역에 도착해서 문이 열리고 그 남자가 먼저 나간다. 나도 여은이랑 같이 나가 놀이공원으로 향한다. 예매해 둔 표 덕분에 빨리 들어갈 수 있었다.

그 남자는 줄에 서 있었는데 이젠 더 이상 보이지 않는다. 어느 정도 안심이 된다. 괜한 불안감이었음을 바라며, 여은이와 함께 우리를 위한 화려한 환상 속으로 들어간다.

환상의 나라라는 말이 과언이 아닐 정도로, 동화 같은 배경과 귀여운 마스코트들, 신나는 음악까지 우릴 반겨준다. 이국적인 거리와, 양옆으론 기념품 가게들이 즐비한 것을 보며, 우리는 더 안으로 들어간다.

......

늦은 시간에 도착해서, 정신없이 놀다 보니 벌써 어두컴컴하다. 사람들도 다들 떠나는 분위기다. 우리도 이만 나갈 준비를 하면서 즐겁다는 말로도 부족한 오늘의 행복을 되새겨 본다.

우린 처음에 어두워지기 전에 사진을 찍기 위해, 꽃밭이라 말하기는 부족한 정원을 다녀왔다. 사진 찍는 커플들도 많았고, 물론 우리도 그중 하나였다. 푸른 잎들이 하트 모양으로 조경되어 있었고, 어여쁜 빨간색 꽃들이 그것을 휘감고 있었다. 즉, 다시 말해 이 놀이공원 최고의 포토 존으로 불리기에 손색이 없었다.

다음으로는 동물원과 아쿠아리움을 구경했는데, 화려하고 아름다운 생물들도 많았고 귀여운 생물들, 위엄있는 생물들까지 다 만나보았다. 물론 저렇게 여럿 좋은 감상이 들었으나, 속으로는 복잡미묘한 감정이 들었다. 왜인지 나와 비슷한 처지 같아서….

엄청나게 신난 그녀가 배고파하는 게 눈에 보여, 얼른 유명한 음식점을 찾아가 저녁을 먹었는데, '유명한 데는 다 이유가 있구나.'라는 생각이 들었다.

그 후, 여러 가지 구역으로 나누어진 마을들을 살펴보았는데 정말 하나하나가 다 다른 특징과 분위기를 내뿜었다. 놀이기구에만 집중했던 전과 다르게, 오히려 지금이 더 제대로 놀이공원을 즐긴 기분이 든다.

　서서히 어둑어둑해지면서, 우리는 마지막으로 퍼레이드를 보러 갔다. 퍼레이드. 역시 놀이공원의 꽃이라고 할 수 있다. 모두가 정말 행복해 보이는 표정과 몸짓으로 여기가 환상의 나라임을 되새겨준다.

　퍼레이드가 끝날 때는 정말 아쉬웠다. 그래도 모든 것에 끝은 있기에, 더욱 특별한 거 같기도 하다. 오늘 그녀의 여럿 행복한 감정과 표정을 볼 수 있었다.

　그리고 다시 지금으로 되돌아 와, 아쉬움을 뒤로한 채로 다시 기념품 가게들이 있는 거리를 지나간다. 그녀와 함께 더 많은 추억을 쌓기를 다짐하며 잠깐 기념품 가게를 들린다. 여은이는 어리둥절한 표정으로 따라 들어왔고, 나는 고민도 없이 토끼 머리띠를 구매해 그녀에게 주었다.

　피곤할 텐데도 방방 뛰면서 행복해하는 그녀, 바로 머리띠를 쓰고 잘 어울리냐고 묻는다. 안 어울릴 수가 없다. 어떤 걸 입더라도, 그녀를 감출 수 없다. 어울린다고 말하니, 평생 가보로 간직하겠다고 한다.

　'앞으로 주고 싶은 게 얼마나 많이 남았는데 가보가 한두 개가 아니게 되겠네.'라고 생각하며 놀이공원을 나선다. 입구를 나서며, 핸드폰으로 돌아갈 길을 찾는다.

지하철은 이미 끊겼고, 버스 정류장은 가까운 곳엔 하나 있다. 그제야 잊고 있던 것이 떠올랐다. 놀이공원을 가면 내가 위험하다는 듯한 메모. 그걸 보고서, 산과 가까이 있는 버스 정류장을 바라보니 헛웃음이 나온다.

'내 인생에 저기만큼 인적이 없고 위험해 보이는 곳이 없네.'라는 생각을 하며 좀 더 걷더라도, 사람이 많은 시내에서 버스를 타기로 마음먹는다. 그러다 문득 든 생각. '내가 정보의 우위를 갖고 있을 지금이 제일 적기가 아닌가?'라는 생각이 들었다.

그녀에게 이를 설명하고, 먼저 가라고 하니 크게 반발한다.

"야! 그런 위험한 곳에 널 보내는 것조차 싫은데, 나보고 먼저 가라고? 절대 싫어. 나 두고 가면 너 다시는 안 볼 거야."

난감하다. 상대는 아마 소수이겠지만, 2명만 와도 난 그녀를 못 지킬 가능성이 높다. 상상만 해도 끔찍하다, 이제는 그녀 없이는 잘 살아갈 자신이 없다. 그녀를 설득해 봐야겠다.

"그러면 우리 이따가 같이 택시 타자, 돈은 내가 어머니한테

꿔볼게. 그 대신에 나 저기 버스 정류장만 보고 올게. 멀리서 지켜만 볼 거야, 걱정 안 해도 돼."

다행히도 내 진심과 실제로 이게 기회라는 것이 잘 전해진 것 같다. 그렇게 나는 정류장 쪽으로 올라가고, 그녀는 시내로 내려간다. 쉽게 도망칠 수 있게 놀이공원 출구보다 시내 쪽에 위치해서, 버스 정류장을 관찰한다.

스스로 느끼기에도 많이 긴장하고 있는 것 같다. 몸이 경계심을 아주 높이고 있다. 스스슥. 나뭇잎 소리에도 몸이 움찔움찔한다. 사람들이 이미 다 가버렸나 생각이 들 정도로 아무도 나타나지 않는다. 그렇게 기다리던 중 의외의 인물이 나타났다.

지하철에서 봤던 그 남자다. 온갖 검은색으로 도배되어 있는 그 남자다. 그 남자는 수상한 기색으로 주변을 살피더니, 버스 정류장으로 이동한다. **또각또각**. 서서히 걸어 올라가다 뒤를 보아, 나와 눈이 마주친다. 그러더니 몸을 돌린다. ***또각또각또각. 타다닥타다닥. 타다닥타다닥.*** 미친 듯이 나를 쫓아오기 시작한다. 심장이 급격히 빠르게 피를 온몸에 돌리기 시작하고, 몸은 후들거리면서 도망쳐야겠다는 생각이 머리를 지배한다. 당장 몸을 돌려 도망치는데, 뒤에선 계속 달려오는 소리가 난다. 점점 가까이, 점점 가까이에서 소리가 난다. 저 멀리 여은이가 보인다.

급격히 생각이 바뀐다. 아니. 순간적으로 내 무의식이든 의식이든 모두 그녀를 지키기 위해 움직인다. 몸을 멈추고 의도적으로 발을 걸어 그를 넘어트린다. 내리막길이라 그는 조금 굴러떨어졌다. 재빨리 그를 향해 달려가 그의 왼쪽 다리를 무참히 밟는다. **콰직**. 그는 신음과 함께 곧장 일어나서는 품에 숨겨놓았던 칼을 들며 다가왔다. 손부터 작살낼 걸이라 후회하며, 뒤로 거리를 벌린다. 아마 한쪽 다리가 부서져서 잘 쫓지 못할 것이다. 상황은 나에게 넘어온 것 같다. 그 남자가 즐겁다는 듯이 말한다.

"크크크. 그래, 열심히 도망가봐. 네가 도망쳐도 괜찮아. 널 기다리는 네 아름다운 여자 친구는, 너 대신 내 작품으로 만들어도 전혀 손색이 없거든. 그때가 되면 너도 같이 옆에서 감상하자고. 장미처럼 피를 흩뿌리고 있는 그녀를."

저 개새끼의 말이 맞다. 나와 그녀 사이에 역겨운 살인마가 있다. 그것도 다치지 않았다면 나보다 빠른. 그녀에게 도망가라 외치고는 살인마가 쫓지 못하게 거리를 좁힌다. 그녀의 대해선 어느 정도 안심하고는 내 앞의 상황에 집중하기 시작한다.

대치가 지속된다. 상대가 칼로 위협을 하여 내가 살짝 뒤로 빠지면, 살인마는 그 틈에 밑으로 슬금슬금 내려간다. 시간을 끌수 없어 보인다. 정면승부를 보거나 자리를 바꿔야 할 것 같다.

빠르게 달려, 그에게 접근하다가 휘두르는 칼에 맞아 피가 흐른다.

그 새끼는 본인이 유리한 자리를 어떻게 활용할지 정말 잘 알았다. 억지로 여러 차례 자리를 바꾸려 시도하느라, 몇 번의 공격을 허용하고 말았다. 지혈도 하지 못해 내 몸에선 피가 계속 흘러내리고 있다. 머리가 슬슬 핑 돌기 시작한다. 칼이 너무 위협적이지만 결국 시도를 해야만 한다.

휘두르는 칼을 팔로 막으며, 빠르게 품으로 들어가니 그가 날 찌르려 한다. 그때를 노려 몸을 간신히 옆으로 비틀면서, 팔꿈치로 그놈의 턱을 노린다. 그는 비틀거리더니 다리에 힘이 풀렸나 보다.

나 또한 눈앞이 흐려진다⋯. 피를 너무 많이 흘렸기 때문일까. 몸에 힘이 풀리며 쓰러진다. 점점 흐려지는 시야와 함께 든 생각은 '역시 우리는 떨어질 수 없나?'였다. 그녀의 발소리가 들리고 눈앞에 그녀가 보인다. 그럴 리가 없음에도. 왠지 모르지만, 그녀가 울고 있는 것 같다. 환영이라도 마지막으로 본 것이 그녀라 다행이다.

처음에는 남자 친구를 뜯어말렸다. 너무 위험한 행동이니까, 그를 잃기는 죽기보다 싫었으니까. 하지만 그의 말이 틀린 말은

아니었다. 어디에서 나올지 모르는 죽음의 위협보다는, 정보의
우위가 있을 때 그를 잡아야 한다는 것 말이다.

  그래서 내리막길 끝, 시내에서 그를 기다렸다. 택시를 잡을 준
비를 하며. 그러나 역시 외곽이라 그런지 차도 택시도 사람까지
도 거의 없다. 그렇게 하염없이 기다리며, 위를 쳐다보고 있는데
갑자기 그가 달리기 시작했다. 엄청나게 빠르게, 그리고 그 뒤를
이어가는 온통 검은색인 남자가 보였다. 불안한 마음이 엄습해
왔고, 정말 순간적으로 공황이 왔다.

  그때, 들려오는 그의 목소리

  "여은아, 도망쳐!"

  그 말이 내 정신을 차리게 했다. 그를 도와야만 한다는 생각만
들었다. 시간이 없어서 112에만 전화를 걸어서 빠르게 상황설명
을 했다.

  그러고는 조심스레 그를 도우러 다가갔다. 두 남자 모두 싸움
에 집중하고 있었다. 그의 피가 보이자 나는 더욱더 급박해졌고
뒤로 조용하지만, 더 빠르게 다가갔다. 그때 달려드는 남자 친
구, '그가 칼에 찔릴 수도 있다.'라는 생각이 들자마자 그때부턴
아무런 생각 없이 달리기 시작했다.

그는 다행히 찔리진 않고 살인마를 완벽히 강타했지만, 피를 너무 많이 흘린 탓인지 쓰러졌다. 이미 사방엔 남자 친구의 피로 흥건했다. 터져 나오는 울음을 참으며, 달려가 핸드폰으로 살인마를 가격했다. 내가 빨리 살인마를 마무리하고, 그를 지혈하러 가야만 했다. 그런데, 그런데 살인마는 능숙하게 내 팔을 잡더니, 내 목에 칼을 쑤셔 넣는다. 극심한 고통에 정신을 놓을뻔했다. 난 여기서 쓰러질 수 없었다. 난 그를 구해야만 했다, 내 목숨을 바쳐서라도.

정신을 잡으려 노력하고 있는데, 언제 또다시 내 앞으로 다가와, 목에 있는 칼을 잡더니 잔인하리만치 비틀며 뽑았다. 그와 동시에 정신을 잃었다….

다시 눈을 떴을 땐, 병원 천장이 보였다. 아니. 그러길 바랐다. 전혀 아니었다. 다시 눈을 뜬 걸 후회할 정도로. 살인마가 나에게 무언가 하고 있었다. 고개를 젖혀 나에게 무슨 짓을 하는지 보는데, 내 복부에다 장미 모양을 그리고 있었다. 미친 새끼. 역겨움이 몰려오지만, 토악질조차 하지 못한다. 그렇게 표현하기도 힘든 혐오스러움을 느끼며 외마디 욕을 남기고 나는 정신을 잃었다.

…… 정신이 서서히 든다. 내가 쓰러진 건 과다 출혈 때문이

아니었던 것 같다. 그 병 때문이다. 먼저 든 생각은, 그녀는 도망갔기에 살인마를 마무리해야겠다는 거의 본능적인 생각이었다. 격렬한 싸움으로 인해 흥분된 몸과 정신, 고통 또한 거의 사라졌다.

그를 마무리 하기 위해, 일어나 걸어가는데 내 목숨보다도, 그 무엇보다도, 어떤 대가를 지불하는 한이 있어도 보고 싶지 않은 장면이 내 눈앞에 있었다. 뇌가 받아들이기 힘들어한다. 아니 내가 받아들이기를 거부하고 있다.

눈물이 멈출 수 없이 흐른다. 촉각을 제외한 모든 감각이 사라지고, 흐르는 눈물만이 피부로 느껴진다. 그동안의 일이 머릿속에서 사라진다. 뇌가 엄청난 충격으로 다시 멈추려고 하는 것을, 내가 강제로 잡아끌어 내서 정신을 차린다. 나는 이 광경을 만든 사람이고, 이걸 봐야만 하고, 끝내 이를 기억하고 마무리해야만 한다. 누가 뭐라 하든 나는 죄인이다.

놀이공원을 미룰걸, 그녀를 데려가지 말걸, 오늘 학교에서만 해도 살인마가 소수라면 연장이 있을 거라 예상했는데 왜 먼저 손을 무력화하지 않았을까. 기회가 있을 때, 왼쪽 다리를 부순 게 정말 최선의 판단이었나? 아니면 내가 자리를 잘 잡았더라면, 더 나은 선택과 생각으로 그를 제압했다면, 나에게 그런 쓰레기 같은 병이 없었더라면, 병이 있더라도 온 힘을 다해 정신을 잃지 않았더라면 달랐을까?

　생각이 후회로 점철되어, 나도 그 흐름을 멈출 수 없을 정도다. 다만 나는 그 생각들을 심장의 맨 밑으로 내려놓는다. 후회하기 이전에 조금의 가능성이라도 놓칠 수 없다. 그것마저 놓쳐버리면, 아니. 이미 살 생각은 버렸지만, 나 자신을 절대로 용서할 수 없을 것 같다.

　모든 건 심장 맨 밑으로 넘겨놓고, 다시 상황을 확인한다. 그러나 아까와 다르지 않다. 살인마는 사라졌고, 그녀는 저기 엄청난 검붉은 피 웅덩이 위에 누워 있다. 가까이 다가간다. 그녀의 목에는 세로로 구멍이 뚫려있다. 구멍이 칼날 모양이 아니다. 모래시계와 유사한 모양이다. 그녀는 편하게 한 번에 죽지 않았다. 그는 칼로 목을 쑤시고 여러 차례 비틀었다.

　그녀의 옷은 모두 벗겨져 있다. 그녀의 복부에는 그가 얘기했던 "작품"이 새겨져 있다. 칼로 한땀 한땀 정성스럽게 했다기보단, 그저 난폭하고 투박하게 그려진 붉은 장미 한 송이가 있다. 내 심장의 맨 밑이 요동친다. 조금이라도 방심하면 용암이 폭발할 것만 같다. 다시 그것들을 심장의 맨 밑으로 쑤셔 넣는다.

　내 셔츠를 그녀의 위에 얹고, 그녀의 셔츠와 치마로 아래를 덮는다. 그때 바닥에 떨어져 있는 그녀의 핸드폰이 울린다. 경찰의

출동 메시지다. 이제는 필요 없는 것이다. 순간 그들에게도 화가 날 뻔했지만, 그 감정을 나에게 돌려 심장 밑으로 집어넣는다.

내가 확인해야만 하는 것만 남았다. 내 얕은 지식으로 그녀의 경동맥을 짚는다. 아무런 반응이 없다. 조심스레 그녀의 눈을 확인한다. 어둠에도 불구하고 동공이 커져 있다. 불빛을 비추어도 반응 하지 않는다. 그녀의 코와 입에 손을 대본다. 호흡하지 않는다. 다시 기다려본다. 아무리 기다려도 호흡하지 않는다. 마지막으로, 그녀의 가슴에 귀를 기울인다. 잔인하게도 호흡하지 않음을 다시 한번 깨닫게 된다. 심장 박동과 소리에 귀를 기울여본다. 고요하다. 그녀가 끔찍한 고통을 받았음에도, 아무 일도 없다는 듯이 조용한 이 세상처럼.

그녀는 죽었다. 그것도 매우 처참하게. 빌어먹을 나 때문에. 그렇게 나의 심장을 터뜨리려는 순간, 바닥에 메모장이 보인다. 다른 글씨가 적혀있다.

"정말 네가 복수하고 싶다면, 넌 여기서 죽어야만 해. 날 믿어 줘."

또 알 수 없는 말과 글씨다. 경찰과 구급차가 함께 올 테니 이대로라면 살 가능성이 높겠지. 그리고 그녀의 죽음으로 이 메모장은 진실이 되었다. 처음부터 이 메모를 믿어야만 했다. 아니,

그런 생각은 차치하고 난 어차피 그녀가 없는 삶을 살 생각이 없다. 메모장의 내용에 따르면 나는 남은 목숨이 있고 회귀할 수 있을 것이다. 심장에서 올라오고 싶어 하는 그것들을 달래며, 다시금 가라앉히고서는, 검붉은 피로 물든 칼을 들어, 이번엔 그녀가 아닌 나의 경동맥을 짚는다. 그리고 고민 없이, 찔러 넣는다. 여전히 고통은 느껴지지 않았으나, 죽음은 나의 의지만큼이나 확실히 다가오고 있었다.

그렇게 시간이 지나고, 어느덧 눈이 떠진다. 하늘엔 색종이로 만든 해와 달이 보인다. 주위엔 아무것도 없고, 하늘 위에 내가 떠 있다. 메모장이 사실임을 다시금 확인하고 자리에 앉아, 생각을 먼저 정리한다.

그런데 그때, 무언가 슬픈 미소를 짓고 있는 아기 천사가 내게 다가온다. 당황하진 않는다. 그런 감정을 느낄 만큼 여유 있지 않으니. 그에게 물어본다. 아까의 메모는 아마 저 천사가 썼을 것이다. 그도 반말로 얘기했으니, 존댓말은 필요 없겠지.

"설명해 줄 수 있는 건 나중에 들을게. 그 메모의 이유를 먼저 알려줄래?"

그가 고개를 도리도리 젓는다.

"미안, 그것까진 얘기해 줄 수 없어. 네가 알아내야만 해. 내가 알려줄 수 있는 부분들만 빠르게 알려줄게."

"너도 알다시피 너는 죽었어. 죽으면 기억을 잃고 내가 쓴 첫 메모를 본 순간으로 회귀하게 돼. 다만 여기 있는 주사위를 굴려서 나온 수만큼, 영구히 지속되는 메모를 쓸 수 있어. 그렇지만 한 메모 당 하나 정도의 정보만 가능해."

"또한, 당사자들끼리의 살인은 아예 없던 일로, 기억까지 지워 줄 수 있고, 당사자와 관련된 인물에 대한 살인은 목격자가 없을 시 아무도 범인을 찾을 수 없어."

"너는 이제 2번의 목숨이 있어. 즉 한번 회귀하고 그다음 생이 마지막이야. 마지막으로 내가 줄 수 있는 힌트는 이건 어느 정도 공평한 게임이라는 거야. 누구 하나에게 유리하다고 보긴 어려워. 이 힌트를 유심히 듣고 내가 너에게 왜 그런 메모를 남겼는지 알아차렸으면 좋겠어. 난 힘을 많이 써서 이만…."

그 천사는 그 말을 남기고 쓰러졌다. 다가가 확인해 보니, 그저 잠든 것 같다. 나는 내게 중요한 말일 테니, 말도 없이 유심히 들었다. 아마 그는 나에게 호의적인 존재이고 말할 수 있는 내용에 제약이 있는 것 같다. 마음속으로 고마움을 전하며, 깊은 생각에 빠진다.

사실을 정리해 본다. 살인마는 칼을 무기로 사용하며, 내가 이를 대비할 시 높은 확률로 내가 이길 것이다. 그는 나보다 달리기가 빠르다. 또한, 살인마는 그녀에 대해서도 이미 알고 있었으며, 살인하는데 거리낌이 없다. 살인마는 최소한 지하철에서부터 우릴 미행하며, 놀이공원 버스 정류장에서 살인을 시도한다.

이후는 추측이다. 놀이공원에 가지 말라는 메모로 미루어 보아 나는 저번에도 놀이공원에서 죽었을 것이다. 그렇다면 그는 내 메모장에 관한 능력을 모른다. 만약 알았다면 그렇게 허술하게 있지도 않았을 것이며, 저번 생들과 똑같이 놀이공원에서 날 죽이려 하지 않았을 것이다.

어느 정도 공평한 게임이라는 말을 유심히 생각해 본다. 신체 능력은 내가 우위지만 그는 우리를 먼저 알고 있었다. 아마 대비할 시간이 있었을 것이다. 그리고 그 또한 회귀할 것이다. 그래야만 이 승부가 성립되니까. 끝으로, 회귀를 하면서 어떤 방법으로든 그는 기억을 어느 정도 갖고 갈 것이다. 그것도 나보다 유리하게. 그게 아니라면, 나에게 다수의 회귀와 메모장에 관한 능력을 주었을 리가 없다.

그렇게 추론하니, 내가 저기서 자살해야만 했던 이유가 보인다. 우선, 그에게 방심을 유도하여 똑같은 방법을 유도할 수 있을 것이다. 그는 혼자 힘으로 둘 다 죽였다고 생각할 테니. 또한, 내가 거기서 죽지 않았다면 불리한 싸움이 됐을 것이다. 나는 그를 모르지만, 그는 나를 알기 때문에. 언제 어디든 조심해야 하며, 원하는 곳에서 승부를 보지 못할 것이다. 내가 질 수밖에 없는 싸움이면서도, 내가 후에 어떻게 대처할지 정보까지 주면 다음 생에도 가망이 거의 없기 때문이다.

그 상황에선 여기까지 생각하지 못했는데, 아기 천사가 남긴 메모가 확실히 도움이 된 것 같다. 다시금 고마움을 표한다. 내가 해야 할 일이 어느 정도 감이 잡혔다.

나는 아무것도 모르는 척, 학교와 놀이공원을 그대로 갈 것이다. 물론 칼에 대비하고, 그에 준하는 무기와 함께. 저번처럼 다리가 걸려 넘어져 주면 좋겠지만, 그건 내 희망 사항일 뿐이다. 명심할 것은 상대의 손을 우선시 하자.

여은이한텐 상황설명을 해야겠다. 그녀의 도움을 바라는 것이 아니라, 절대 도우러 오지 않길 바라서이다. 그녀가 죽는다면, 그 어떤 것도 의미가 없다.

무조건 이번 생에서 끝내야 한다. 이번 생이 끝이 아니라면, 분명히 상대하기에 더 어려워질 것이다. 그렇게 명심하며, 다시 앉아서 처음부터 생각을 갈무리한다. 나는 완벽해야만 하고, 그는 곱게 죽지는 못할 것이다.

생각에 생각을 정리하며, 변수들을 줄여나가고 있는데, 아기 천사가 일어났다. 그에게 다가가 고맙다고 하려는데 그가 가로막는다.

"쉿! 조용히 해, 들키고 싶지 않으면. 내가 도울 수 있는 건 이번이 마지막이니까."

무언가 사정이 있는 듯하다. 아무 말 없이 고개를 끄덕이며, 바닥에 있는 주사위를 주워 던질 준비를 한다. 이 주사위의 수만큼 난이도가 달라지겠지. 그러나 1이 나온다고 해서 질 생각도, 자신도 없다. 그는 다음 생에 나에게 빈드시 죽는다.

떨리지도 않는다. 지금은 그 어떤 감정도 들어올 틈이 없다. 주사위를 굴린다. 멈춘 주사위의 윗면은 4를 나타내고 있다. 아기 천사는 기뻐하는 듯 보이나, 나는 무덤덤하다. 기쁠 일이 지금 여기에서 뭐가 있는가. 무감정하게 다음 할 일을 한다.

난 이제부터 최선의 선택만을 해야 한다. 실수는 용납되지 않는다. 생각을 나열한 후에 천천히 다듬어보자. 첫 메모는 칼을 대비하는 데 사용해야 한다. 다음 메모는 범행 장소인 놀이공원 버스 정류장 혹은 그의 인상착의를 작성해야 한다. 또한, 내 심장에 가라앉힌 감정들에도 자유를 주어야 한다. 나의 분노를 담을 수 있는 메모 하나가 필요하다. 살인을 망설이지 않기 위해. 그리고 이번 생처럼 메모를 믿을지 말 지 고민하는 일 따위 없어야 한다.

　다시 우선순위를 세어보고, 어떤 걸 작성할지 고민한다. 어차피 그가 먼저 다가올 것이기 때문에, 인상착의는 뒤로 미루어 둔다.

　내가 내린 결론은 이렇게 네 가지다.

"여은이는 그때 칼로 무참히 난도질당하여 죽었다."

"살인마는 놀이공원 버스 정류장에서 나타날 것이다."

"그를 필히 이번 생에 죽여야만, 이 굴레가 끝이 난다."

"나는 아버지를 죽인 인물의 얼굴을 알고 있다."

　필요한 내용은 모두 담은 것 같다. 마지막 내용은 나를 제외하고 누구도 알 지 못한다. 의미를 알 수 없는 슬픈 미소를 짓고 있는 아기 천사에게 내용을 검수받고, 승인받는다. 지체할 시간도 이유도 없다. 다음 생의 나는 죄인이 아니길. 이후 그에게 말을 걸어 다음 생으로 넘어간다.

제3화 5번째 목숨

아…. 잠깐 정신을 잃었나 보다. 어릴 때부터 자주 정신을 잃고 기억을 잃는다. 그나저나 앞에 있는 익숙한 풍경으로 미루어 보아 나는 등교 중인 것 같다. 이런 상황이 익숙해서, 기억에 혼선을 빚지 않기 위해 나는 주머니에서 메모장을 꺼내 확인한다.

평소와는 다르게 메모를 확인하고도, 더 뒤를 넘기고 넘겨 확인하게 된다. 알 수 없는 내용과 누군지 모를 글씨. 깨진 하트와 하트 그림도 그려져 있었으며, 마지막 메모는 순간 숨이 막힐 정도로 충격적이다.

"이제 시작이야. 재밌겠네."

"잘 다녀와. 저 글씨를 믿지 마. 가지 마."

"내 글씨만을, 그리고 그것을 신뢰해라."

"나는 죽으면 기억을 잃고, 지금 이때로 회귀한다."

**"정말 네가 복수하고 싶다면, 넌 여기서 죽어야만 해. 날 믿어
줘."**

"여은이는 그때 칼로 무참히 난도질당하여 죽었다."

"살인마는 놀이공원 버스 정류장에서 나타날 것이다."

"그를 필히 이번 생에 죽여야만, 이 굴레가 끝이 난다."

"나는 아버지를 죽인 인물의 얼굴을 알고 있다."

처음 읽을 때는 누가 이런 장난을 치나 싶었는데 가면 갈수록
표정이 굳을 수밖에 없었다. 그리고 누가 뭐라 하든 이건 나에게
진실이다. 그 누구에게도 말한 적 없는 사실이 메모장에 적혀있
다. 모든 걸 사실로 가정하고 생각을 정리한다. 그런데 그때, 누
가 등을 두드린다. 신경이 너무 날카로워져 있어, 반사적으로 그
팔을 세게 잡는다.

"아…아파. 놔줘. 왜 그래….”

익숙한 목소리가 들려와서 깜짝 놀라며 뒤를 돌아본다. 이여
은. 내 여자 친구이자, 메모장에 적힌 그녀일 것이다. 다급히 손
을 떼고, 그녀의 팔을 확인해 보니 빨갛게 물들어 있다. 스스로
자책하며, 그녀에게 사과한다.

"미안해, 예민해져 있어서 너인 줄 모르고 순간적으로 반응했
어.”

"네가 나 두고 가놓고…. 너무해. 몰라, 이따 얘기하자.”

그렇게 먼저 가는 그녀, 그녀를 붙잡아야 하나? 메모에 대한
정리를 먼저 해야 하나? 머릿속이 복잡해진다. 결국 그녀는 먼저
떠났고, 잠시 후 나도 뒤이어 반에 도착해 내 자리에 앉는다.

그녀는 여전히 뾰로통한 눈빛으로 날 쳐다보다가, 눈이 마주
치면 삐졌다는 듯 휙 고개를 돌린다. 나에겐 그녀가 최우선이기
에, 오히려 메모에 집중한다. 어서 판단을 마쳐야만 한다.

아마도 일은 오늘 발생할 것이다. 오늘이 놀이공원을 가기로
한 날이기에. 믿기 어렵지만 믿을 수밖에 없는 심정이 착잡하다.
그녀는 칼로 난도질당해 죽었다. 죽인 살인마는 버스 정류장에서

나타난다고 했다. 그게 언제일까, 생각해 보면 당연히도 낮이 아니라 밤에, 즉 놀이공원을 나올 때 그가 나타날 것이다.

이미 그가 그녀를 죽인 것이 확실시됐지만 망설임은 쉽게 사라지지 않는다. 그를 망설임 없이 죽일 수 있을까? 최대한 마음을 다잡는다. 최소한 그가 공격 의사를 보였는데도 망설임이 남아있으면 안 될 것이다.

그리고 우리가 평소의 모습과 다르면, 상황이 바뀔 가능성이 있다. 정보의 우위가 있는 곳에서 싸워야만 하기에, 우리는 아무런 티도 내지 않을 것이다.

다음은 칼을 대비할 방법이다. 티를 내면 안 되니, 내게 도움이 될 물건은 주머니에 들어갈 물건뿐이다. 학교가 끝나면 바로 지하철을 타고 놀이공원으로 갈 테니 호신용품 같은 건 구할 수 없다. 그렇다면 이 조건 안에선 칼보다 더 좋은 무기를 찾을 순 없을 것 같다. 그로 인해 내 생각은 똑같이 칼로 이어진다. 점심시간에 실습실에서 적당한 칼을 챙길 계획을 한다.

마지막으로, 티를 내지 않으려면 그녀도 같이 놀이공원에 가야만 한다. 위험 감수는 정말 죽어도 하기 싫지만, 해야만 하는 일이다. 안전성을 더 높이기 위해 그녀에게도 메모장에 관해 이야기해야겠다.

마지막 메모는 미리 찢어, 내 주머니에 넣는다. 이미 수업은 시작해 있었고, 쉬는 시간은 얘기할 시간도, 설득할 시간도 부족하다. 점심시간에 두 가지 일을 해야 하니, 점심을 거를 생각까지 한다. 준비는 마쳤으니, 선생님껜 죄송하지만, 체력을 비축하기 위해 엎드려 잠을 잔다.

......

점심시간을 울리는 종과 함께, 그녀가 나를 깨운다. 그녀가 삐진 건 앞선 쉬는 시간에 그녀에게 진심으로 사과하고 안아주니 금방 풀렸다. 그녀를 데리고 반에서 구석진 곳으로 간다. 친구들이 다 나가기를 기다린 후, 메모장을 꺼내 그녀에게 지금까지 있던 일을 설명한다.

처음에 그녀는 역시 장난치지 말라고 했지만, 나는 진지한 표정과 더불어 다시 진지하게 호소했다. 그리고 그녀에게 말할 순 없지만, 난 이걸 믿을 수밖에 없는 이유가 있다고 전했다. 그제야 그녀도 진지하게 고민하며, 결국 나를 믿어줬다.

이제 그녀에게 계획을 설명한다. 티를 내지 말 것. 실습실에서 칼을 챙길 것. 또한 그녀에게 멀리 떨어져 있으라고 열과 성을 다해 당부한다. 그녀는 불만이 많아 보이는 표정이지만, 그래도 내 마음을 알아주는지 알겠다고 고개를 끄덕인다.

그렇게 얘기를 마무리하고 실습실로 이동한다. 다른 학년 시간 표는 잘 모르겠으나, 분명 중간고사가 끝나기 전엔 실습실 이용 이 없을 것이다. 그럼에도 최대한 구석진 자리들의 서랍을 연다. 상황이 어떻게 될지 모르니 주머니에 각자 2개씩 챙기고는 잠가 놓는다.

이후 실습실을 나와, 급식을 먹기에는 너무 늦어 매점으로 향 한다. 적당히 힘이 날 간식들과 빵을 사고 그녀와 반으로 돌아가 서 먹은 후, 나는 다시 잠에 든다.

그런데 생각보다 시야가 더 어두워진다. 잠보다 더 깊은 잠에 빠지는 느낌…. 혹시 몰라 심호흡하고 있는데, 내 의지와는 상관 없이 눈이 떠진다. 그때 보이는 풍경은 처음 보면서도 썩 익숙하 고 친숙한 공간이 보인다.

그저 방문이랑 책상과 의자, 그리고 침대가 있는 작은 방이다. 방을 돌아다니며 살펴보는데, 침대 위에 대놓고 손거울이 있다. 손거울을 들어 확인하는데, 거울에 비친 내 모습은 괴상하게 생 긴 아기 천사였다.

설명하자면 얼굴의 왼편은 미소를 짓고 있고, 얼굴의 오른편은 무언가 슬픈 미소를 짓고 있다. 왜인진 모르지만, 왼편을 볼 때는 섬뜩함과 거부감이, 오른편을 볼 때는 무언가 아들을 바라보는 아버지가 떠오른다.

 손거울을 여러 방향으로 살펴보니, 거울 속 책상 안에 그 아기 천사가 앉아서 무언가 글을 쓰고 있다. 작은 손거울로 봐야 해, 그 내용은 알 지 못하겠다. 거울은 일단 놔두고, 나도 책상을 살펴보니 책 하나가 있다.

 "5번의 죽음 6번의 목숨"이 그 책의 제목이다. 여러 번의 죽음과 목숨이라니. 마치 내 얘기 같아서 그 책을 펼쳐본다. 그 안에는 내 예상과는 다른 게 있었다. 아까 봤던 얼굴 반이 다른 아기 천사와 그저 눈알 2개가 미니어처처럼 작게 움직이고 있다.

 눈알이 징그럽지만 그래도 참고 지켜보니, 아기 천사가 글을 쓰고 지우고를 반복하는데, 왼편의 천사가 쓸 때는 어떻게 웃는지는 이해가 가지 않지만, 천사와 눈알 둘 다 웃고 있는 것 같다.

 한편, 오른편이 글을 쓸 때는 정말 고심하면서 쓰는 것 같다. 왼편의 천사가 열을 내기도 하고, 눈알 2개가 마음에 안 들어 휙 떠나는 것처럼 보일 때는 왼편의 천사가 펜을 가로챈다.

마음속으로 오른편의 천사를 응원하고 더 포근하다고 느끼지만, 그는 여기에서 별 힘이 없어 보인다. 계속 지켜보는 것도 재미있고 신기하겠지만, 오늘 해야 할 일을 떠올리고는 꿈에서 깰 방법을 찾아본다.

현실의 눈을 뜨려고 몸에 힘도 줘보고, 볼도 꼬집어 봤지만 전혀 효과가 없었다. 하는 수 없이, 정보가 없어 들어가고 싶지 않았던 방문의 앞으로 간다. 뭐가 나와도 놀라지 않기로 마음먹으며, 천천히 방문을 연다. 환한 빛과 따뜻함이 쏟아진다.

고개를 드니, 다행히 익숙한 풍경이 보인다. 다만 조금 황량하다. 다들 먼저 가고 나와 그녀만이 남아있다. 조금 기다린 건지, 빵빵해진 그녀의 볼을 손으로 누르고 학교 밖으로 나선다.

역에 거의 도착해, 사람 많은 지하철을 기다린다. 여기에서 누군갈 특정하긴 어려워 보인다. 시간이 지날수록 사람들은 점점 줄어들기 시작했고, 그에 맞춰 나도 고개를 두리번거리기 시작했다.
그렇게 수상한 티를 낼 뻔했으나 다행스럽게도, 그녀가 나에게 티를 내지 말라고 주의를 한다. 긴장감 때문에 티를 내지 않으려 해도 쉽지 않은 것 같다. 최대한 그녀에게 붙어 자연스럽게 있어야겠다.

어느덧 목적지에 도착해서 미리 문 앞에 서 있던 그녀와 함께 지하철에서 내린다. 주위를 둘러보지 않고, 곧장 놀이공원 쪽으로 향해서 예매해 둔 표를 보여주고 입장한다. 놀이공원에 들어가기 전에, 그래도 우리의 데이트기도 하고 티가 나면 안 되니까 들어가서는 정말 재미있게 놀자고 했다.

그렇게 들어간 놀이공원의 입구에는, 여기서부턴 다른 세계라고 말하는 듯한, 여러 가지 캐릭터들과 마스코트들이 우릴 반겨준다. 기념품 가게들을 우선 지난 후, 그녀가 원하는 놀이기구들을 타러 간다.

......

정말 행복한 시간이었다. 여러 놀이기구와 맛있는 음식과 간식들, 관람차에서의 애정 표현과 이쁜 여러 포토 존에서 찍은 사진들, 우리를 정말 환영하고 축하하는듯한 퍼레이드는 우리에게 평생 추억으로 남을 것이다.

다시 기념품 가게를 지나는데 그녀에게 무언갈 사주고 싶지만, 상황이 상황인지라 다음에 사주기로 다짐하고, 마음을 가다듬은 채 놀이공원 입구를 나선다.

......

오늘도 평범한 등굣길이다. 내 남자 친구가 나를 두고 먼저 간 것만 뺀다면. '얼른 따라잡아서 품에 안겨야지!'라고 생각하며 서둘러서 간다. 저 앞에 내가 사랑해 마지않는 그가 서있다. 무언가 골똘히 생각하는 듯한데, 놀라지 않게 살살 등을 두드린다.

그러자 그는 갑자기 뒤를 돌아 내 손목을 세게 잡는다. 너무 아프다. 그가 왜 그러는 건지도 모르겠다. 일단 놓아달라고 하고, 먼저 학교를 간다. 삐져서 그런 것도 있지만, 그의 표정은 내가 한 번도 본 적 없었던 무서운 표정이었다. 그에게도 시간이 필요해 보였다.

반으로 돌아가 자리에 앉아서, 내색하지 않고 삐진 척하며 그를 쳐다본다. 계속 무언가 다른 생각을 하는 것 같다. 그에게 먼저 물어보기보다는 기다리는 편이 나아 보인다. 그렇게 1시간쯤 지나서 쉬는 시간에야 나에게 와서 미안하다며 품에 안긴다. 역시 강아지 같은 내 남자 친구이다. 머리를 쓰다듬어주며 용서해주고 품에 꼭 안아준다.

그런데도 그는 뭔가 신경 쓰이는 게 남아 보여서, 다른 수업 시간에도 나는 그에 대해 생각한다. 생각해 보면 참 오래도 알았다. 생각에 생각이 꼬리를 물다 보니 어렸을 때, 그에게 처음 반했을 때가 기억난다.

그때도 봄이었다. 햇살 가득한 오후에 부모님과 나는 놀이터로 놀러 갔는데, 나는 무언가를 그려서 그걸 오래오래 기억하는 것을 즐겼다. 보통은 자연 풍경이나 놀이터 그 자체를 그리곤 했는데, 그날따라 그림이 아주 마음에 들지 않았다.

그걸 옆에서 지켜보던 남자아이가 있었는데, 내가 기분이 안 좋아진 걸 알아서인지 도망갔다. 그렇게 끙끙 앓으면서 그림을 어떻게든 마무리하려고 했지만, 울음을 참을 수는 없었다. 그때 도망친 줄 알았던 그 남자애가 다시 돌아왔다. 해맑은 미소와 연필, 그리고 지우개를 가지고선.

내 옆에 앉아서는 그는 이렇게 말했다.

"지금 네 그림도 엄청 이쁜데! 그래도 네 맘에 들지 않으면 다시 그리면 되지. 또 원한다면 같이 그려줄 수도 있어! 어때? 내가 함께니까 든든하지? 우리 둘이라면 뭐든지 할 수 있을 거야!"

이제 와 생각해 보면 그 어린 나이에도 내 기분을 달래주려고 과장되게 말한 것 같다. 그런데 나에게는 그 말이 빛이었고 방향성이자 목표가 되었다. 그리고 눈물과 함께 웃으며 그에게 결혼하자고 했다. 그는 놀라서 말을 제대로 못 했지만, 나는 그가 싫어하지만은 않다는 걸 알아채고 만날 때마다 결혼하자고 꼬드겼다.

　나는 일어나면은 해님에게, 잠을 잘 때는 달님에게, 꼭 그와 이루어지게 해달라고 빌었다. 나는 그가 행복해지게 해달라고 빌었어야 했다. 어느 날부터 놀이터에서 그가 잘 안 보이기 시작했다. 부모님이 그 애가 이제 바빠서 못 올 거라고 말했지만, 고집을 부려 집에 안 가고 그를 기다렸지만, 그가 오는 일은 없었다.

　그러다 부모님께서 그 아이를 보러 가자고 말했다. 대신에 아주 조용히 있어야 한다고 전하며, 그의 아버지가 멀리멀리 떠나서 사람들이 모두 슬퍼하고 있다고 말했다. 그 가족은 우리와 매우 친했기에, 나 또한 그것의 무게를 어렴풋이 알았다. 항상 잘 챙겨주시던 아저씨를 더는 못 보고, 혹은 내 아버지를 영원히 못 보는 걸 상상하니 차를 타고 가면서 내내 울었다.

　그래서 우리 부모님은 곤란해하셨지만, 어느 병원 옆 건물에서 내릴 땐 울음을 꾹 참았다. 나보다 슬픈 사람들이 나보다 더 힘들게 슬픔을 참고 있어서.

　안에 들어가서는 아버지와 어머니를 따라 아저씨에게 애도를 표했다. 거기에서 머무르면서 부모님은 아줌마를 도와주셨고 나는 말없이 그의 곁에 앉아있었다. 그가 나가려고 움직이자, 나 또한 신발을 신고 그를 따라나섰다. 어디 가냐고 묻지도 않은 채로.

    그는 잠깐 밖으로 향하는 입구로 나가 서 있었다. 밖엔 비가 강하게 오고 있었지만, 다행히 밖에도 어느 정도 천장이 있어 그가 젖는 일은 없었지만, 나는 빗방울 대신 떨어지는 물방울을 보았다. 그가 숨을 몰아쉬며 나에게 얼굴을 보이지 않으려고 한다. 그래서 나는 아무 말도 하지 않은 채 그를 안아줬다. 그는 날 떼어놓으려 발버둥 치기 시작했다. 그래도 나는 그를 꼭 안아준 채 눈물을 흘리며 그에게 말했다.

    "내가 네 옆에 있을게. 네가 말한 것처럼 우리 둘이 함께라면 뭐든 할 수 있을 거야. 약속할게. 난 네 옆에 꼭 붙어있을게. 그러니까… 우리 결혼하자. 서로 항상 꼭 붙어있자."

    내가 이 말을 하니 그의 몸부림은 멈췄고 그의 눈물은 적지만 빗방울보다 강하게 떨어졌다. 그는 힘겹게 고개를 끄덕였다. 그러고는 소리내어 울기 시작했다. 나 또한 마찬가지였다. 그와 함께 오랫동안 펑펑 울다가 다시 장례식장으로 돌아갔다. 그때부터였다. 그와 어디든 같이 다니며 꼭 붙어있기 시작한 것이.

    그와 행복했던 기억들도 생각하는 와중에, 벌써 점심시간을 알리는 종이 울린다. 그렇게 다시 그를 쳐다보았는데 그는 아직 자는 것 같다. 내가 다가가서 톡톡 건드려서 깨우니 천천히 그가 일어나기 시작한다.

그는 아무 말도 하지 않고 아무 움직임도 없었다. 아직 생각 중인 걸까? 그를 기다리니 반 애들도 모두 점심을 먹으러 나간다. 그때 그가 잠깐 따라오라며 교실에 구석진 곳으로 향한다. 무언가 할 얘기가 있어 보이는 얼굴이라 따라가는데 그가 이해할 수 없는 말들을 한다.

자기에게 회귀 능력이 있으며, 전생의 그와 내가 살해당했다는 둥 아무튼 놀이공원을 가기 전에 이리저리 준비하고 안전을 신경 쓰자는 얘기였다. 아무리 그와 깊은 유대감을 가지고 있어도 쉽사리 믿기 어려웠다. 그럼에도 등굣길에서 처음 본 그의 표정과 지금 이 진지한 표정, 그리고 말할 순 없지만 그 자신은 믿을 수밖에 없는 증거도 있다고 한다.

이렇게까지 얘기를 하니, 흘려들을 수가 없었다. 그리고 애초에 타인에게 폐를 끼치는 일도 아니고 그저 안전을 위함이라 그 말을 받아들였다. 물론 그의 마지막 말은 마음에 들지 않았지만, 나를 위하는 게 기특하기도 해서 일단은 알겠다고 했다.

그렇게 실습실에 가서 칼들을 챙기고는 주머니에 넣어 잠근다. 급식을 먹기엔 늦었기에 매점에 가서 간단하게 해결한 후 반으로 돌아온다.

......

그 이후 우리는 별 탈 없이 학교를 마치고 지하철에 탔다. 다만 그가 티 나게 이리저리 살펴보고 있어서 주의를 주니, 내 옆에 꼭 붙어서는 애정을 표한다. 역시 귀엽다고 생각하며 시간을 보낸다.

그렇게 어느덧, 우리가 다음 역이 목적지라 미리 출구에 서서 기다린다. 다음 역에 도착하고 우리는 예매한 표를 보여주고선 놀이공원에 들어간다. 입구를 넘어서니 굉장히 화려하다. 일단 눈에 띄는 건 기념품 가게였는데, 그에게 강아지 머리띠를 선물해 주고 싶었다. 그래도 오늘 같은 날이면 잃어버릴 것 같아서 다음을 기약한다.

그 이후는 정말 행복했다. 놀이공원이라서가 아니라 그와 함께라서. 놀이기구들을 타면서 난 그만 바라보고 있었는데, 그는 알아챘는지 모르겠다. 나보다 더 놀이기구에 신난 것 같다. 붉은 장미들이 피어있는 정원에서 사진도 찍고, 맛집도 마침 대기가 없어서 들어가 먹었는데 정말 맛있었다. 관람차를 타서야 그가 날 제대로 바라보기 시작했다. 사랑한다고 하며 그의 옆에 가서 앉았다. 잔뜩 애정 표현을 하고 내려와, 이제는 마지막으로 퍼레이드를 보러 갔다.

퍼레이드도 성공적으로 마무리했다. 여운을 지워줄 것만 같았던 퍼레이드는 오히려 여운을 더 짙게 만들었다. 그렇게 다시 기념품 가게를 지나 놀이공원 입구에 오니 그의 표정이 달라졌다. 또 그 무서운 표정. 하지만 나도 이번엔 정신을 차리고 집중하기 시작한다. 그가 말한 버스 정류장으로 향한다.

......

아 또다시 그 지점인가, 저번 생은 드디어 방해꾼들을 처리해서 최고의 삶을 살았는데 말이야. 노화로 죽는 건 막을 수가 없군. 어쩔 수 없이 이번에도 할 일을 해야지. 일단은 기억나는 것들을 메모장에 적는다. 죽여야 할 인물들을 처리했던 장소부터 복권, 주식, 코인 등의 변화가 일어나는 일들을 적어둔다.

조금만 회귀 지점이 빨랐다면 좋았을 텐데, 돈으로 무언갈 이루기 전에 그 녀석이 꼭 얼굴을 알아챈단 말이야. 이건 내가 스스로 해내야만 하는 신의 시련과도 같은 거다. 나의 작품을 만들 재료를 사러 갈 시간이다.

집에도 잘 벼려진 칼들이 있지만, 이건 그것들을 위한 칼이 아니다. 그들은 편히 죽을 자격이 없다. 일부러 편의점에서 싸구려 칼과 검은 마스크를 사 간다. 이럼에도 시간은 많이 남는다.

집에 돌아가, 작품을 구상한다. 그 아비의 아들은 너무 질려서 다른 걸로 해야겠고, 그녀는 역시나 내 최고의 걸작이었던 붉은 장미가 될 것이다. 잘 벼려진 칼이 다시 눈에 띄지만, 화가는 양손으로 그림을 그리지 않는다.

그렇게 고민을 해보니 그 아비의 아들은 십자가가 좋겠다. 나의 신을 위한 제물을 바쳐야겠다. 신이 나를 위하신 만큼 나도 신께 도움이 되고 싶음이다.

적당히 시간을 보내다가, 검은색으로 뒤덮인 복장으로 지하철로 향한다. 그의 아비를 눈앞에서 죽이고, 그와 그녀를 그렇게 죽였는데도 나를 알아보지 못하는 것이 상당히 웃기고 재미있다. 아비가 죽고 병신이 됐다는 얘기가 사실이라니. 날씨도 좋다. 오늘은 즐겁고도 행복한 날이 될 것이다.

교복을 입은 그들이 보인다. 그래도 혹시 모르니 그 옆 칸에 타서 앉는다. 그들이 나를 알아보지 못함에 짜릿함과 스릴감을 느끼며 목적지에 도착한다.

그들이 먼저 내리고, 내가 그 뒤를 따라간다. 예매한 표가 없어서 자연스럽게 그들보다 느리게 들어간다. 이후 그들을 찾아서 뒤 따라다니며 황홀함을 느낀다. 그들이 행복한 순간을 나도 두 눈에 꼭 담는다. 그들의 행복이 나의 행복으로 바뀔 것이니.

음식점을 제외하곤 하루 종일 뒤 따라다녔는데 눈치채지 못함이 꽤 우습다. 붉은 장미가 있는 정원에서 그들이 사진 찍을 땐 웃음을 참기 힘들었다. 신도 내 마음을 아시는 것 같다.

이제 슬슬 준비해야겠다. 가슴에서 끓어오르는 기분 좋음을 살짝 눌러주며, 그들의 뒤를 따라 놀이공원 입구를 나선다.

......

그녀와 계획을 다시 얘기하고, 약속을 확인받은 뒤에 굳건한 마음가짐으로 입구를 나섰다. 역시나 인적은 드물었다. 그녀는 계획대로 아래, 시내 쪽으로 내려가고, 나는 입구에서 조금 아래에서 버스 정류장을 관찰한다.

누가 봐도 수상한 검은색으로 뒤덮인 남자가 버스 정류장을 두리번거린다. 그가 맞겠거니, 생각하며 살짝 밝은 곳으로 나아가 그에게 모습을 비추어 본다. 평범한 사람이라면, 그저 버스를 기다리겠지.

그런데 그는 나를 보고서는 서서히 내 쪽으로 다가온다. 이 정도론 확신할 수는 없다. 그가 내려올 때, 바로 뒤를 돌아 도망치는 척을 한다.

그러니 그가 갑자기 달리기 시작했다! 그럼에도 다시 확인하고 싶어 그에게 멈추라고 했음에도 그는 오히려 웃으며 내게 다가온다. 나도 공격 태세를 취하지만 아직은 칼을 꺼낼 정도의 확신은 없다.

　그녀에게 가지 못하도록 그를 막아야 하는데, 그가 살인마가 맞아, 칼이 있다고 가정하고 어떻게 몸으로 막을지를 생각한다. 손이나 팔로 막으면 안 될 것이고 다리로는 멈추기가 쉽지 않다. 고민하다가 그를 어깨로 부딪혀 막는데 오른쪽 어깨에서 피가 나기 시작한다.

　그가 살인마임을 확신하고, 그녀에게 알리고서 이제는 내가 해야 할 일을 한다. 주머니에서 칼 한 자루를 꺼내자, 그는 당황한 듯 보이면서도 소름 끼치게 미소 짓는다. 그의 반응에 역겨움과 분노를 느끼면서 칼을 들고 대치한다.

　누구도 섣불리 움직이지 못한다. 그렇다고 시간이 나의 편인 건 아니다. 그를 죽이려면 경찰과 구급대원이 없는 편이 더 낫기에 부르지 않았다. 오직 내 힘만으로 해결해야 한다.

　그가 가까이 다가왔을 때, 칼을 던진다. 그는 오른팔에 꽂힌 칼을 보며 웃음이 아닌 인자한 아버지 같은 미소를 지으며 내게 달려온다. 또다시 어깨로 막을 준비를 하며 왼손은 은근슬쩍 주머니에 있는 다른 칼로 향한다.

어깨에 다시 빨간 세로선이 그어졌지만, 고통을 참고서 주머니 속에서 칼을 쥔 왼손을 꺼내어 복부를 노린다. 피할 수 없음을 깨닫고, 팔에 힘을 더 주어 찌른다. 그러나 아쉽게도 그는 왼손으로 칼을 막아냈다. 다행스럽게도 다른 말로 하면 그의 왼손이 칼로 관통당했다. 기세는 내 쪽으로 넘어온다.

그도 더 이상 웃지 않는다. 상황이 많이 유리하다. 그는 왼손에 박힌 칼을 뽑지 않고, 내게 달려드는 것 같다. 오른손에 있는 칼만 피하면 되기에 몸을 왼쪽으로 기울인다. 그 틈을 타 살인마가 도망친다. 그러자 어떤 생각이 들어 바로 뒤로 쫓아간다. 살인마는 역겹게도 이 판도를 바꾸기 위해서 그녀를 잡으러 가는 것이다. 죽을 만큼 뛰어도 오히려 거리는 늘어난다. 그녀에게 도망치라고 외치며 칼은 던져보지만, 칼자루가 맞는다. 스스로에게 자책과 동시에 그에게 매우 분노하며 뒤따라간다.

멀리서 보아도 보이는 흰색 교복 덕분에 나는 그와 살인마가 싸우는 걸 보고 있었다. 잘은 안 보였지만 흰색 인영과 검은색 인영이 다투며 내리막길로 흐르는 피 또한 보았다. 그의 말은 진짜였다. 물론 믿고 따랐지만, 속으로는 무언가 착각한 것이 아닐까 했는데 모두 진짜였다.

너무 두렵고 무섭지만, 그가 위험하면 그를 도와야 하기에 조금 더 가까이 가서 보니, 살인마의 왼손에 칼이 꽂혀있었다. 그럼에도 그도, 나도 방심하지 않고 끝까지 긴장을 유지하고 있었다. 그러다 그가 멋지게 살인마의 칼을 피했는데, 살인마가 달리는 걸 멈추지 않고 내게 온다.

　피 칠갑이 된 성인 남성이 칼을 들고 나를 향해 쫓아오는 건, 정말 그 어떤 경험보다 무서웠다. 어떡하지? 도망가야 하나? 도망가면 안 된다. 그 또한 살인마를 죽여야 이 굴레가 끝난다고 했다. 내가 어떻게든 버텨 시간을 끌어서, 시내로 향하지 못하게 해야 했다. 그렇게 마음을 다잡고 오른손에 칼을 쥔다. 섣불리 다가오지 못 하도록 팔을 길게 뻗어 견제했으나, 그는 우습다는 듯이 내 손목을 잡고 날 넘어뜨렸다. 이제 곧 죽나 싶었는데 그는 나를 죽이지 않았다. 아마도 인질로 쓰려는 것만 같았다. 나 때문에 그가 위험에 빠지게 둘 순 없었기에, 차라리 날 죽이라고 몸부림을 쳤다. 울 상황이 아닌데도 어린애같이, 그때 놀이터에서의 나처럼 울고만 있었다. 그때의 기억이 아직도 생생하게 느껴졌다. 우리 둘이면 못 할 게 없다는 그의 말. 그 말을 듣고 포기하지 않았다. 평생 그의 옆에 있어 주기로 다짐했다.

　잊고 있던 왼쪽 주머니에 있던 칼을 꺼내, 그 개새끼의 옆구리를 찔렀다. 그러니 그는 고통을 느끼면서도 나를 죽이겠다는 일

념으로 칼을 휘둘러 왔다. '이건 막을 수 없는데….'라고 생각하며 곧 죽겠구나 싶었는데 이상하게 살인마가 공격을 하지 않았다. 이상함을 느껴 제대로 눈을 떠 확인해 보니 살인마의 목에 칼이 들어가 있었고, 나의 둘도 없는 반려인 그가 서 있었다. 마치 그때 그날처럼.

정말 숨이 벅차도록 달렸다. 내가 알고 있는 모든 신께 빌었다. 그녀가, 그녀마저 없으면 난 도저히 살 수가 없다. 결국 살인마가 그녀를 잡아서 눕혔다. 내 그녀가, 그녀가 울고 있었다. 정말 쉬지 않고 달렸다. 나도 눈물이 쏟아졌다, 그날처럼. 그런데 그녀가 살인마를 찔렀다. 나와 같은 방식으로. 그 틈을 타 빠르게 다가가 살인마의 목을 젖 먹던 힘을 다해 세게 찔렀다. 살인마가 쓰러지고 밑에 깔린 여은이를 어서 꺼내어주었다. 우리 둘 다 바보처럼 울고 있는 모습, 그날과 같았다. 살인마의 정체를 알기 위해, 마스크와 모자를 벗겨 보니, 더욱 나의 울음은 강한 비처럼 거세졌다. 내가 분명히 봤지만, 기억이 왜곡되어 그의 얼굴만이 뿌옇게 보였는데, 이제야 완전한 형태가 보인다. 그는 나의 아버지를 죽인 살인마였다. 더욱 화도 났지만, 내가 평생 안고 가야 할 짐이 덜어졌다는 사실과 복수를 해냈다는 기쁨이 먼저 다가온다. 아버지께 기도드리며, 그를 다시 한번 확인 사살한다. 계속 그를 그냥 보내지 못하고 칼질하는 나를 본 그녀는 이제 괜찮다며 나를 껴안아 주었다.

제4화 마지막 이야기

그렇게 한참을 끌어안고 있다가, 보니 살인마의 시체가 서서히 사라진다. 이 역겨운 굴레가 끊어졌음을 직감하고, 나는 그녀를 그녀는 나를 털어준 뒤, '우리는 정말 살았구나' 하며 웃음이 나온다.

어머니와 그녀의 부모님께 걱정을 끼칠 순 없었기에, 근처 편의점에서 물로 헹구고 붕대를 감아 임시 조치를 한다. 이제 정말 집으로 돌아가기만 하면 끝이다. 어머니께 놀다 보니 차가 끊겼다고 양해를 구한 뒤, 받은 돈으로 우리는 택시를 타고 갔다.

집에 돌아와 씻고, 그녀와 전화하며 서로 그날을 기억하고 있음을 알게 된다. 역시 우리는 떨어질 수 없나보다. 떨어질 생각조차 없음에도 말이다. 아참. 사람을 죽였다는 죄책감은 들지 않았다. 먼저 그가 공격한 것도 있지만, 눈앞에서 사라지는 모습을 보니 그를 같은 사람이라 인식하기가 어려웠다. 그렇게 힘든 하루를 보내고 침대에서 잠이 든다.

이번에도 단순한 잠이 아님을 직감한다. 눈을 감고 잠에 들었는데 오히려 밝은 색이 눈앞을 비추고 있었기 때문이다. 그 앞에는 눈물 흘리는 큰 두 눈과 나름 만족했다는 듯한 얼굴인 미소 짓는 아기 천사, 그리고 정말 기뻐하는 슬픈 미소를 짓고 있는 아기 천사가 있다.

순간, 머리가 깨질 듯이 아파져 온다. 내가 모르는 나의 기억들이 머릿속에 박히는 느낌이다. 그렇게 헐떡거리며 시간이 지난 후, 난 그게 전생의 기억들임을 직감한다. 그와 함께 앞의 세 존재가 무엇인지를 깨닫는다. 슬픈 미소를 짓고 있는 아기 천사에게 안겨 고마움을 표한다. 그에게 안겨있으니 정말 따뜻하다.

나머지 둘에게는 복잡미묘한 감정이 들어 아무것도 하지 않았다. 그런데 시간이 지나니, 슬픈 미소를 짓고 있는 천사가 점점 커지기 시작하더니, 엄청나게 거대해졌다가 오히려 나 정도의 키로 돌아온다. 그리고선 나에게 말을 건다.

"내 아가야. 너는 정말 훌륭하게 자라는구나. 하나의 목숨까지 남기고 말이야. 네가 바라는 걸 얘기 해보렴. 너는 그럴 자격이 있단다."

우선은 어느새 앞에 생긴 책상과 거기 위에 있는 책이 보인다. 익숙한 책이다. "5번의 죽음 6번의 목숨" 그 책을 가지고 찢어버린다. 나머지 둘은 어느 정도 화가 난 것 같지만, 직접 말은 하지 못하고, 슬픈 미소를 가졌지만 가장 따뜻한 그는 환한 미소로 응답한다. 그에게 나의 구체적인 소원을 얘기한다.

"아버지를 되살려줘. 그리고 여분의 목숨 따위 필요 없으니까, 이제는 그만 날 놔줘. 나만의 이야기를 내가 쓰도록 해줘."

알겠다고 그는 고개를 끄덕이며, 기억은 어떡할 것인지 묻는다. 나는 당연히 나와 더불어 그녀의 기억은 이렇게 해달라고 대답했다, 그는 알겠다며 마지막으로 나에게 얘기한다.

"정말, 정말 네가 행복하게 살았으면 좋겠구나. 강윤아."

그가 나의 이름을 부르는 동시에 잠에서 깬다.

......

오늘도 어김없이 평범한 하루다. 부모님이 불러, 식탁에 앉아 아침 식사를 한다. 아버지를 꽉 껴안아 드리고 어머니도 껴안는다. 아침 식사를 간단히 마치고 이젠 여은이의 집으로 향한다.

그녀를 마주 보자마자 웃음이 나온다. 서로 밝게 웃으며 봄 내음이 가득한 등굣길을 함께 걷는다. 그러다 그녀가 갑자기 묻는다.

"강윤아 우리 결혼할래?"

내 대답은 말하지 않아도 알 것이다.

그 뒤로 그들의 이야기는 전해지지 않지만, 그들이 매우 행복하게 살고 있다는 소문만이 들려온다. 나는 더 이상 알 수 없지만 그들이 행복하기를, 그들이 그들만의 이야기를 써나가기를 바란다.